ELIZABETH PÉLADEAU

1 histoire
1 message
1 mélodie

Distribution par Amazon KDP et Ingram Spark (P.O.D.)
Imprimé aux États-Unis d'Amérique et au Canada
Titre : Mon égrégore
Auteure: Elizabeth Péladeau
Éditeur : Talk+Tell
Révision : Roxane Tremblay
Correction : Marie Dufour
Mise en page : Paul Neuviale
Conceptrice de la couverture : Charlotte Pearce
Photo de l'auteure : Pazit Perez

Relié ISBN: 978-1-7773916-9-0
Livre de poche ISBN: 978-1-7773916-7-6
E-Book ISBN: 978-1-7773916-8-3

Dépôt Légal : Bibliothèque et Archives nationales du Québec, 2022

Je dédie ce livre à ma famille, mes amis et
à tous ceux qui ont croisé mon chemin, et
ont enrichi mon égrégore.

Table des matières

RECETTES

En publiant ce livre, mon objectif est de vous faire sourire, peut-être provoquer chez vous des réflexions et, pourquoi pas, vous faire chanter ou danser!

INTRODUCTION

ÉGRÉGORE

Un jour, alors que j'avais grand besoin de me ressourcer, j'ai suivi ma sœur dans un cours de yoga. Mon cœur était en miettes à la suite du décès de mon père et à cause de la condition de ma mère qui périclitait. J'avais déjà pris des cours ici et là, mais je ne me doutais pas de ce qui allait suivre.

Après plusieurs étirements qui m'ont fait découvrir des muscles que je ne croyais pas posséder, Jocelyne, notre professeure, nous invite à prendre la position du tailleur (lotus) pour la méditation et relaxation du Pranava. Elle nous explique comment faire un chant souvent pratiqué par les moines bouddhistes.

Elle fait le « Om », le son à la base de tous les sons, une vibration directement liée à la vibration universelle. J'écoute, un peu distraite. Nous reprenons tous notre souffle et commençons à chanter « Ommmmm… ». Tout à coup, une chose étrange se produit. Après quelques secondes à chanter à l'unisson, je ressens une connexion incroyable. (Oui, je sais, si vous n'avez jamais fait cela, ça semble un peu ésotérique, mais c'est un phénomène courant dans la méditation et la prière.)

À ce moment-là, je réalise que nous sommes tous liés par un lien d'amour, une énergie particulière.

Dans ma vie, il y a beaucoup de coïncidences et de moments heureux où je me suis sentie intensément connectée aux gens autour de moi ou qui m'ont précédée. J'appelle ce phénomène « mon égrégore ».

C'est une énergie que chacun d'entre nous a ressentie à un moment donné, mais qu'on a peine à expliquer. Quand on veut décrire ce phénomène, les mots ont tendance à nous manquer. C'est spécial et intime.

Les égrégores unissent les gens qui ont un objectif commun. Certaines entreprises ont des égrégores, mieux connus sous le nom de « culture »; on n'a qu'à penser à Disney. Il en va de même pour les professions, les pays, les communautés et les familles. Même les groupes musicaux et les marques comme Coke peuvent en avoir. Les égrégores se retrouvent aussi dans l'expression artistique.

Notre relation avec diverses formes d'art et les émotions qu'elles suscitent peuvent donner des indications sur ce qui nous définit en tant qu'individu. Lorsque nous ressentons de fortes réactions émotionnelles vis-à-vis de l'art, nous entrons en contact avec un égrégore. Parfois, quand quelqu'un écrit une chanson, réalise un film ou peint un tableau, il encapsule ses émotions en un seul morceau, les rendant communicables à la personne qui regarde ou écoute.

Cette connexion ne se produit pas chaque fois que nous voyons un film ou écoutons une chanson. Elle est réservée aux rares instants où une œuvre d'art nous frappe en plein cœur, au plus profond de nos tripes. C'est ce qui m'est arrivé quand j'ai vu le film américain *Amistad* en 1997.

Mon oncle, qui était à mes yeux plus grand que nature, était dans le coma depuis trois semaines. C'était étrange de réaliser que même un homme aussi fort que lui pouvait mourir. En le regardant agir et en l'écoutant parler, on avait l'impression qu'il avait l'ultime contrôle sur tout. Je traversais à cette époque un questionnement existentiel. Je suis donc allée au cinéma pour m'évader. Ma tête roulait trop vite.

Amistad était si bien fait, son histoire, sa vérité, la musique, les acteurs, les textes, les images… que j'avais l'impression d'être là, dans le film. J'étais transportée ailleurs, comme tout le monde dans la salle autour de moi. Je me suis alors sentie « connectée ». Apaisée, j'ai compris que même si la mort frappe, nous ne sommes jamais vraiment seuls.

Que ce soit par le biais de la musique, du cinéma, de la littérature ou autre forme d'art, raconter des histoires est un outil de développement extraordinaire.

Par exemple, lorsqu'une chanson nous rappelle des souvenirs et nous relie à des états émotionnels puissants, cela est un indice sur ce qui nous définit. Il ne s'agit pas simplement d'écouter une chanson. Il s'agit plutôt des émotions et des souvenirs que la chanson nous fait vivre.

La musique est l'un des outils les plus puissants pour modifier l'humeur ou soulager le stress. Avant que les gens ne sachent lire, elle était le médium privilégié pour raconter des histoires.

Elle fait battre mon cœur et me transporte ailleurs, d'hier à aujourd'hui. Elle me donne des ailes, revigore mon esprit, et me suggère même parfois des solutions!

La musique fait partie de mon ADN. Mes expériences, mes pensées, mes rêves, mes émotions, tout dans ma vie est relié à une bande sonore. Quand j'écoute une chanson, je remonte le temps ou bien je suis projetée dans l'avenir, avec de l'espoir et une motivation renouvelée.

J'ai choisi d'ajouter une liste de lecture à chaque chapitre de ce livre, car la musique est liée à plusieurs souvenirs et expériences.

Comme dans un film, pour vous abandonner et vous évader dans mon univers, vous aurez besoin de ma « playlist », ma mélodie, ma bande sonore pour avoir le bon ton.[1]

La musique peut aussi faire partie de votre égrégore. En réalité, celui-ci est la somme de votre existence, de vos impressions et de vos rencontres. Il comprend tous les modèles générationnels dont vous avez hérité et que vous perpétuez, ainsi que chaque ami, ennemi, amant, figure parentale, enfant, mentor, mentoré. Cette énergie s'accroche à tout ce qui vous est arrivé et à toutes les impressions et émotions que vous avez ressenties.

Il s'agit autant de ce que vous absorbez que de ce que vous diffusez. La façon dont l'énergie se transforme dans une pièce lorsque vous entrez. La gratitude qu'un ami vous témoigne quand vous le réconfortez. Les valeurs que vous enseignez à vos enfants. Les publications inspirantes sur les réseaux sociaux partagées avec vos proches. Dans sa forme la plus élevée, un égrégore rayonne d'amour et enveloppe le monde

---

1. Un code QR est à votre disposition pour écouter la liste de chansons sur Spotify; vous pourrez ainsi être transporté au bon moment et au bon endroit! Vous n'avez qu'à viser le code avec votre caméra et cliquer sur le lien.

qui vous entoure.

Si vous avez déjà ressenti une forte vibration en provenance d'une autre personne, d'un objet ou d'un lieu, quelque chose sur lequel vous ne pouviez pas tout à fait mettre le doigt, alors vous êtes entré en contact avec cette énergie toujours présente, en constante évolution.

Nous vivons notre quotidien en répétant souvent les mêmes actions, la même routine, en tenant beaucoup de choses pour acquises. Vous arrêtez-vous parfois pour vous demander: « Qui suis-je? »

Se pourrait-il que vous soyez la somme des expériences de tous vos ancêtres? Avez-vous déjà réfléchi à la façon dont vos expériences, vos parents et même vos grands-parents, les personnes que vous rencontrez, les endroits où vous allez, les coïncidences vous influencent? Comment interprétez-vous votre histoire et celle de vos ancêtres?

J'ai eu une bonne enfance. Ce n'était pas parfait, mais je ne crois pas à la perfection. Parfait ne nous apprend rien. Parfait n'a pas d'histoire. Parfait est ennuyeux. Mais j'ai eu de la chance. La chance d'être entourée de personnes solides et authentiques qui m'ont inspirée.

Cependant, mon objectif avec ce livre n'est pas de parler de moi, même si je me raconte beaucoup. Mon objectif est plutôt de vous insuffler un élan, vous donner un coup de pouce pour vous aider à traverser votre journée, et, en même temps, vous offrir un peu de matière à réflexion, en partageant une histoire, un message et une mélodie!

Chaque chapitre se termine par une section contenant des pistes de réflexion qui vous aideront à vous poser les bonnes questions, à vous rapprocher de vos propres fondations!

Les réponses amèneront peut-être de nouvelles conversations, pour découvrir votre moi plus profond, votre essence, ce qui forme votre égrégore et découvrir, ou redécouvrir, les personnes qui gravitent autour de vous!

CHAPITRE 1

MON ESSENCE

On ne reçoit pas la sagesse, il faut la découvrir soi-même après un trajet que personne ne peut faire pour nous, car elle est un point de vue sur les choses.

—Marcel Proust

BANDE SONORE

Who Are You • THE WHO
Memories • MAROON 5
Time • PINK FLOYD
Who Are You When I'm Not Looking • BLAKE SHELTON
Parle-moi d'toi • KAÏN
Think • ARETHA FRANKLIN
Pour un instant • HARMONIUM
Dégénérations • MES AÏEUX

Vous êtes-vous déjà posé la question: qui suis-je? Comment me suis-je rendu jusqu'ici?

Lorsque j'étais enceinte de mon fils, je lisais tout ce que je pouvais trouver sur la grossesse, m'attardant sur chaque étape de sa croissance. Ses oreilles se formaient, sa tête, son cœur... Je me demandais quelle personnalité il aurait, quelle couleur de cheveux. Tiendrait-il de moi ou de mon mari? Aurait-il les yeux bleus de ma mère?...

Les mois passèrent. Le temps était venu d'accoucher. Mon stress avait augmenté de façon exponentielle et je ressentais la pression de vouloir être un bon parent, un guide pour l'aider à devenir la meilleure version de lui-même. Je voulais être une bonne cuisinière, comme ma mère. Entrepreneure, comme mon père. La liste de toutes les grandes choses que je voulais être s'allongeait encore et encore. Avec le temps, j'ai réalisé que je ne pouvais pas tout faire. J'ai réfléchi attentivement pour trouver le bon « alignement » pour moi, découvrir en quoi je suis unique, de quoi est faite ma fondation, mon essence.

J'ai donc commencé une quête pour savoir qui j'étais, outre la fille de Jean et Gisèle, la femme de Martin et la mère de Charles, car si je voulais être la meilleure version de moi-même, j'avais besoin de savoir qui était ce « moi ». Même si vous vivez avec vous-même tous les jours, il est facile de s'éloigner de soi! Ce voyage a exigé un peu de recherche et beaucoup d'introspection pour retrouver le bon vieux temps avant d'être maman, avant d'être adulte, avant même d'exister! J'avais besoin de comprendre mon histoire et d'où je venais avant de pouvoir espérer quoi que ce soit dans le présent ou dans le futur, pour moi ou même pour la génération qui me suivrait!

MES RACINES

À la suite d'un test d'ADN, j'ai découvert que mes ancêtres sont à soixante-quatorze pour cent de France et à sept pour cent d'Italie. Pour le reste, c'est un mélange d'irlandais, d'écossais et d'espagnol (mon nom de famille, Péladeau, dérive de *pelado* en espagnol) et un méli-mélo d'autres choses, même un peu d'africain!

Il y a quatre cents ans, un grand événement a établi ce que j'appelle ma « fondation ». Un certain Jean est responsable d'une grande partie de mon destin. Mon ancêtre (qui portait le même nom que mon père) était originaire du Poitou, une province du centre-ouest de la France. On ne sait pas grand-chose de lui, si ce n'est qu'il a vécu jusqu'à cent ans, et qu'il était menuisier à Aulnay, village bordé d'une vaste forêt qui fournissait toute la province en bois de chauffage et de construction. Il fréquentait probablement l'église le dimanche, celle de Saint-Pierre, aujourd'hui classée au patrimoine mondial de l'UNESCO. Il a courageusement pris le bateau le 24 mai 1665, et c'est la raison pour laquelle je suis ici aujourd'hui, à Montréal.

Certains préfèrent affirmer qu'ils sont d'origine royale; dans mon cas, j'aime le fait que mes ancêtres étaient des aventuriers courageux qui ont traversé l'océan. J'aime imaginer leur résilience à se construire une vie très loin de tout ce qu'ils connaissaient. Cela explique pourquoi je mange de la nourriture française, pourquoi aller à l'église à Noël est important pour moi (même si j'y vais principalement pour le chant), une chose que mon ancêtre Jean a probablement faite. Cela pourrait même expliquer pourquoi mon père et mon grand-père étaient des marchands de bois. J'imagine qu'il y a beaucoup d'autres secrets qui se trouvent dans mon ADN. D'une certaine manière, ces secrets, cachés dans les profondeurs du temps, sont l'embryon de mon essence.

UNE MAISON, PLUSIEURS GÉNÉRATIONS

Mon premier réflexe quand je réfléchis à qui je suis est de penser à mes parents. Mais à part leur ADN, quoi d'autre aurait pu les influencer? Je serais une personne très différente si mes parents étaient nés dix ans plus tôt ou dix ans plus tard. Ils avaient une différence d'âge de onze ans, tout un écart. Faire partie de ma génération a eu une grande influence sur ma nature, c'est certain, mais vivre à trois générations différentes sous le même toit tous les jours pendant vingt ans risque de vous influencer grandement aussi!

Mon père faisait partie de la génération grandiose – un drôle de nom, je sais. On les appelait ainsi parce qu'ils ont vécu la Grande Dépression et combattu pendant la Seconde Guerre mondiale. Ils possédaient des caractéristiques communes: croyances solides au sujet des responsabilités personnelles, prudence financière, intégrité, éthique de travail. Mon père a été le digne représentant de sa génération.

Maman partageait certaines de ses valeurs, mais faisait

partie de la génération silencieuse, élevée pendant une période de guerre et de dépression économique. Reconnue pour travailler dur et ne pas être revendicatrice, cette génération était également économe, respectueuse, loyale, déterminée, et cultivait des valeurs traditionnelles et un sentiment d'abnégation. Quand ma mère a prononcé ses vœux de mariage, elle a dû promettre d'être obéissante à son mari. Plus tard, elle a avoué à quel point elle détestait cette philosophie.

Ma mère n'a jamais eu d'emploi après la naissance de ses enfants. Elle préparait religieusement tous nos repas. Je pense que le mot abnégation la décrit vraiment bien. Quand j'avais un trou dans une chaussette ou dans un vêtement, elle le réparait. Avant d'aller au centre commercial pour acheter des souliers, elle inspectait ceux que je possédais pour être certaine qu'ils ne pouvaient pas être réparés par le cordonnier. Elle disait *vous* à sa mère. Pour moi, cela semblait fou, mais pour ma mère, c'était une marque de respect envers celle qui l'avait élevée. Oui, ma mère était bien de la génération silencieuse, mais au fil des décennies, je pense qu'elle a trouvé de plus en plus sa voix!

Mes sœurs aînées Carole et Josée sont de la génération Jones (de l'expression « suivre les Jones »), aussi appelée Baby Boomers 2. Cette génération a vécu la révolution sexuelle des années soixante et soixante-dix, la nouvelle ère de la télévision, la crise pétrolière, le Watergate, et, au Québec, la crise d'Octobre. Elle a aussi rejeté et redéfini les valeurs traditionnelles. Maintenant, les jeunes s'affirment. Exit les souvenirs de guerre et de dépression économique! On s'occupe davantage de comparer sa pelouse avec celle du voisin.

Mais chez nous, la plus grande vague de changement est

venue du féminisme. Mes sœurs étaient de la même génération; elles étaient très différentes, mais elles étaient toutes les deux d'accord sur une chose: les femmes étaient les égales des hommes, autant à la maison que dans la société. Mon père, étant en minorité, apprenait à vivre avec cette nouvelle réalité sociale. Cela explique pourquoi plus tard il a été obligé d'ouvrir son esprit.

Carole incarnait l'image parfaite de la révolution. Elle voulait que ma mère soit plus libérale, qu'elle laisse papa cuisiner les repas et faire la vaisselle. Elle a contesté l'idée du mariage. Elle portait des mini-jupes et ne jurait que par la paix et l'amour; un sujet qui est encore important pour elle aujourd'hui. Mon autre sœur Jo ne se souciait pas des mêmes sujets que Carole. Elle aimait les animaux, la mode, les sports et, comme moi, elle aimait la télévision (une chose avec laquelle les générations plus âgées n'ont pas grandi). Elle n'aimait pas suivre les tendances ou quelqu'un d'autre, et elle était entièrement d'accord avec l'idée de jouir de plus de liberté!

Et, plus tard, je suis venue avec l'influence de ma cohorte, la génération X. Nous étions, en quelque sorte, la première génération à grandir avec les ordinateurs, ce qui signifiait: être élevé avec une supervision minimale des adultes, valoriser l'indépendance et l'équilibre travail-vie personnelle et rejeter ce qui est formel (port de la cravate, vouvoiement, etc.). Mes sœurs se plaignaient toujours que mes parents étaient beaucoup moins stricts avec moi qu'ils ne l'avaient été avec elles. Effectivement, ils l'étaient. C'est probablement parce que j'étais la plus jeune. Sans doute avaient-ils gagné de l'expérience ou cela avait peut-être quelque chose à voir avec l'évolution de notre société qui subissait d'énormes changements!

Mes deux grands-mères n'ont pas été autorisées à voter avant 1940 (le reste des Canadiennes avaient le droit de vote depuis 1925, mais la France devrait attendre jusqu'en 1944). En 1964, une loi a été adoptée pour que les femmes n'aient plus besoin de leurs maris pour signer des contrats en leur nom. En 1969, la contraception a été décriminalisée. En 1981, les Québécoises ont été autorisées à conserver leur nom de jeune fille après le mariage, ce qui est rapidement devenu la norme. (Merci à Lise Payette, une politicienne, écrivaine, journaliste, féministe, animatrice de télévision et de radio.) Ma sœur aînée, Carole, a été la première à garder son nom. Plus tard, j'ai fait la même chose. Pourquoi devrais-je renoncer à un nom qui m'a définie toute ma vie? On pourrait dire avec assurance que la liberté des femmes a eu un grand impact sur notre famille et sur mon essence!

LA DÉTECTIVE DE CINQ ANS

D'accord, j'ai été influencée par mon ADN, par les autres membres de ma génération ainsi que par mon entourage, mais voilà que ma « vraie » nature a commencé à se manifester.

J'avais cinq ans, peut-être moins. Nous étions assis dans la voiture, les trois filles à l'arrière avec moi au milieu. Mon père conduisait et ma mère supervisait. Je posais des questions. Je voulais tout comprendre de la vie. Je suis rapidement tombée sur les nerfs de ma sœur avec mes millions de questions. Après un commentaire négatif de sa part, j'étais sur le point d'arrêter, mais ma mère s'est retournée en affirmant: « Poser des questions est un signe d'intelligence! » Quelle grande motivation pour moi de continuer… pour toujours.

Étant la plus jeune et de surcroît extravertie, entourée d'introvertis, j'ai ressenti le besoin de parler, de m'exprimer, de raconter des histoires, alors je l'ai fait, beaucoup. Pourquoi pas? J'avais un public et il n'allait nulle part! Mon père plaisantait: « Hé, as-tu besoin d'huile pour cette mâchoire? Toutes ces histoires, ça doit être épuisant! » Il était donc clair que je devais communiquer. C'était essentiel pour moi. Ma vraie nature était de « connecter » – à travers la parole, l'écriture, la photographie, la vidéo… Et les choses n'ont pas changé!

SIX ANS: DÉJÀ FEMME D'AFFAIRES

En tant que dernière de trois filles, j'ai gagné le surnom affectueux La Puce. J'étais juste une petite enfant dépendant entièrement des « grandes » personnes. Parfois, on ne pensait pas que j'écoutais, encore moins que je comprenais.

Rappelez-vous; mon père est de la génération des femmes au foyer. Alors, naturellement, il pensait que ses filles feraient de même. Enfin, c'est comme ça que les choses se passaient dans son temps.

Un jour, quand j'avais six ans, je marchais vers la voiture en tenant la main de mon père pendant qu'il discutait avec ma mère: « Sois réaliste, Gisèle, Elizabeth se mariera et deviendra une femme au foyer et elle… » Il parlait comme si je n'étais pas là, croyant que je n'écoutais pas. Je me suis sentie incroyablement insultée. J'ai immédiatement lâché sa main, croisant mes bras dans une attitude hautaine. « Je vais être une femme d'affaires », ai-je dit avec assurance à mon père. « Peut-être même que je vais acheter ton entreprise! » Puis j'ai détourné le regard pour mesurer l'effet de mes paroles. Ce jour-là, mon essence avait parlé à travers moi. Ce souvenir constitue à lui seul un bon indice de l'orientation que prendrait ma vie.

Enfant, j'avais tendance à être plus en contact avec mon essence, car je n'avais pas encore appris à réprimer mon instinct. Cela s'est produit plus tard, quand j'ai commencé à prêter attention à ce que la société disait sur la façon dont j'étais censée me comporter.

LA TRANSITION

Dans les années qui ont suivi, j'ai perdu contact avec mon essence. Comme la plupart des adolescents, je ne pouvais pas tout à fait mettre le doigt sur ce que je voulais faire dans la vie. Pendant un certain temps, je pensais vouloir être diplomate, alors j'ai étudié la politique. J'ai apprécié la plupart de mes cours, mais j'ai réalisé que rien n'était comme je l'avais imaginé.

À l'époque, je prenais également des cours de marketing et de gestion. Dans une classe, notre mission était de tenir un débat. Nous étions divisés en groupes de six et chargés de présenter nos meilleurs arguments afin de convaincre le reste de la classe que nous avions raison. Mon groupe était composé d'introvertis, donc personne ne voulait parler en public, et personne ne voulait être un leader. De mon côté, je voulais vraiment gagner ce débat, alors j'ai fini par entraîner tous mes collègues, en leur inculquant des trucs pour parler en public et débattre.

Contre toute attente, nous avons gagné! Tout le monde avait réussi à se surpasser et à gagner en confiance, offrant la meilleure version d'eux-mêmes, ce qui m'a valu les remerciements de tous. J'étais vraiment fière de moi et j'ai adoré chaque minute de cette expérience. Mon avenir commençait à se dessiner. Le monde des affaires m'appelait!

Lors de mon mariage, ma cousine Sophie a donné un discours sur la façon dont je voyais la vie à travers mes lunettes roses. Cela reflétait ma devise – « bonnes vibrations seulement » (*good vibes only*) – et confirmait mon essence.

Personne ne trouve son essence dans un seul moment culminant. Comme avec un puzzle, les pièces rassemblées petit à petit finissent par raconter une histoire. Notre histoire.

À force d'observer ma mère, la chaleur qu'elle apportait à la maison et la joie que la famille ressentait lorsque nous étions réunis pour le dîner, j'ai su que je voulais avoir ma propre famille un jour. Mais quand je regardais mon père, je savais que je voulais être entrepreneure. Lorsque j'ai rencontré la fille de la meilleure amie de ma mère qui travaillait dans le marketing, ça m'a aussi donné le goût. J'ai découvert les communications et je me suis ensuite dirigée vers le monde de la publicité, dans les magazines, et, plus tard, je suis devenue entrepreneure et maintenant auteure! J'adore toutes les facettes de la communication et surtout celles qui permettent de raconter des histoires!

Mon essence s'est révélée grâce aux gens que j'ai fréquentés tout au long de ma vie, et surtout, grâce à ceux qui m'ont soutenue et que j'ai admirés.

Entrer en contact avec votre essence, c'est lâcher prise face aux attentes des gens à votre égard. Par exemple: « Que vont-ils dire? Que penseront-ils de moi? »

Votre essence est la façon dont vous vous démarquez. Les règles dictées par votre cœur. Parfois, vous ne pouvez pas entendre cette voix parce que vous écoutez votre tête et toutes les histoires folles qu'elle vous raconte. Pendant ce temps, l'essence attend. Elle coexiste dans l'ombre.

Parfois, vous devez vous asseoir et écouter votre cœur, voir ce qui vous a manqué, réaliser la chance que vous avez eue et les gens merveilleux qui vous ont aidé à ouvrir la voie, sans critique ni jugement.

Votre essence vous enracine, poussant profondément à l'intérieur de la Terre pour que vous soyez bien solide. Votre égrégore est l'énergie de vos branches atteignant le ciel, sentant la chaleur du soleil, vous aidant à grandir.

J'ai finalement trouvé mon essence à moi. J'ai réalisé que je ne peux pas être tout, mais je peux être moi, le meilleur moi que je puisse être. Mon essence est enracinée en moi et elle évolue chaque jour, tout au long de ma vie. Je suis authentique, française, montréalaise, québécoise, canadienne, nord-américaine, une femme aux valeurs fortes, jeune de cœur, bonne mère, bonne épouse, amie fidèle, familiale, créative, ouverte d'esprit, idéaliste, amusante, curieuse, bonne auditrice, amoureuse de musique, de chocolat, d'animaux, gourmande de la vie et de bonne bouffe, danseuse et chanteuse (mauvaise mais passionnée), conteuse, communicatrice, femme passionnée avec un fort sens de joie de vivre. C'est mon essence, c'est ce qui fait que je suis unique!

Mon fils a maintenant vingt ans. Il est grand et ressemble à son père, et agit souvent comme lui. Je vois aussi beaucoup de moi-même en lui. Il a les yeux brun foncé, comme mon père. C'est un grand communicateur, un grand être humain… Il est un heureux méli-mélo de toute notre grande famille, de notre ADN, de nos expériences, des influences de nos générations…

Je veux toujours le guider et lui dire quoi faire, mais je dois me rendre à l'évidence qu'il est un adulte maintenant. Le temps file. Je dois faire la chose la plus difficile qu'un parent ait à faire: lâcher prise. Je lui ai donné une très grande boîte à outils, dès la seconde où j'ai appris que j'étais enceinte jusqu'à aujourd'hui.

Maintenant, mon travail est d'être ici quand il a besoin de moi. Je dois avoir confiance qu'il écoutera son cœur, suivra son appel, découvrira tôt son essence et vivra quelques égrégores en cours de route!

J'espère que mon histoire, mon essence, mon égrégore, vous aideront à vous rapprocher des vôtres.

ET VOUS?

Quelle est votre histoire? À quoi ressemble votre essence? Quelles ont été vos influences? Quelle est votre devise? Votre citation préférée? Comment votre génération vous a-t-elle influencé? Quelles sont les plus grandes leçons reçues de vos parents? De vos amis? De votre voisinage d'enfance? Que savez-vous de votre ADN et de vos ancêtres?

CHAPITRE 2

LA MUSIQUE: MON BIEN-ÊTRE, MA DROGUE

La musique. C'est un cadeau de la vie. Ça existe pour consoler. Pour récompenser. Ça aide à vivre.

—Michel Tremblay

BANDE SONORE

Sunday Best • SURFACES
You're Beautiful • JAMES BLUNT
The Prayer • CELINE DION ET ANDREA BOCELLI
Dancing Queen • ABBA
La dernière valse • MIREILLE MATHIEU
Neiges • ANDRÉ GAGNON
L'ouverture-éclair • ANDRÉ GAGNON
Ce n'est rien • JULIEN CLERC
Jump in the Line • HARRY BELAFONTE
Guantanamera • JOE DASSIN
Lessons in Love • LEVEL 42
Just an Illusion • IMAGINATION
Use the Force • JAMIROQUAI
Thank You • DIDO
Good Enough • DODGY
Close to You • CARPENTERS
Les comédiens • CHARLES AZNAVOUR
Music • MADONNA
Time to Say Goodbye • ANDREA BOCELLI ET SARAH BRIGHTMAN
La Bamba • RITCHIE VALENS

La musique est partout dans ma vie. Quand je me réveille, quand je vais me coucher, quand je marche, quand je cours, quand je conduis, quand je suis seule, avec une personne ou en groupe, que je sois heureuse ou malheureuse, quand je pense à un souvenir d'il y a trente ans ou un an, avec mon père, ma mère ou mon mari, à Montréal ou à Paris, la musique anime ma vie.

Chaque fois que j'entends « Les comédiens » de Charles Aznavour, je me souviens que ma mère était heureuse. Les Carpenters ou René Simard? Je revois ma sœur et son amie qui chantaient dans la cuisine. La bande originale de *Sliding Doors* me rappelle une passion soudaine, et le moment où je suis tombée amoureuse de mon mari. « Just an Illusion » de Julia Zahra? Je me sens chanceuse ou inspirée, et je ressens un éclair de bonheur. Le groupe Level 42 me rappelle un bateau près d'une plage tropicale, au milieu de l'océan, repoussant les vagues, et je me sens comme si je volais.

Si le dernier sens que nous éprouvons à la mort est l'ouïe, j'espère qu'on me jouera une chanson de ma liste préférée, tout en me murmurant doucement: *Je t'aime.*

Et vous? Comment décririez-vous votre expérience avec la musique? Avez-vous déjà entendu une chanson qui tout à coup vous transporte à une autre époque, dans un souvenir très vivant où vous êtes soudainement envahi de bien-être?

La musique a toujours – ou presque – joué à la maison.

J'ai des souvenirs lointains d'un meuble dans le salon, art déco, probablement hérité de ma grand-mère et qui devait dater des années trente. À son extrémité, à droite, il y avait le tourne-disque pour les vinyles, et au milieu, la radio avec deux gros boutons noirs pour choisir une station. Ce meuble massif occupait une bonne partie du salon. Nous étions loin de l'iPod! Mes parents aimaient toutes sortes de musique. En français, en anglais, en espagnol. Parfois, on entendait de la musique mexicaine qui leur rappelait probablement un voyage à Acapulco. Ces airs répandaient de la joie dans la maison. Quand ce n'était pas Los Tres Amigos, c'était Jean-Pierre Ferland, Belafonte, Dalida, Ginette Reno, Piaf, Brel… Ils ont chacun eu leur tour.

1970. Avant de m'endormir, j'ai attrapé mon bibelot préféré, une boîte à musique en forme de chaussure avec une petite famille de souris peintes sur le dessus. Je la retourne pour la remonter. J'entends « Au clair de la lune » et je m'endors heureuse. C'est le début de mon aventure avec la musique.

1975. Chez le dentiste avec maman. Le docteur s'appelle Lamoureux, un nom de famille que je trouve réconfortant. Dans la salle d'attente, la radio joue, diffusée dans un haut-parleur au-dessus de nos têtes. Julien Clerc chante. Tout va bien. L'assistante appelle mon nom; c'est mon tour. Le bruit de la perceuse et la peur des longues aiguilles m'envahissent soudain. Heureusement, maman est là… Et Julien aussi.

J'ai dix ans. J'accompagne maman en voiture. Je ne suis pas folle de sa station de radio, CJMS (une station FM), et elle n'aime pas la mienne, CKGM (une station AM). Un poste de « bing-bang-boum », disait-elle pour décrire cette dernière.

Nous n'étions pas sur la même longueur d'onde. Mais elle a trouvé un compromis. Maman adorait le piano et elle s'était assurée que ses trois filles apprennent à en jouer. Elle rêvait que nous écoutions de la musique classique, mais cela ne m'intéressait pas vraiment. Je préférais les pièces d'Elton John à celles de Beethoven. Mais là, j'étais dans *sa* voiture, et c'est *elle* qui conduisait. Je n'avais pas d'autre choix que d'écouter cette nouvelle découverte. De plus, ma mère semblait si enthousiaste que je ne voulais pas la décevoir. Le piano résonna dans la voiture. À ma grande surprise, je l'ai tout de suite aimé. C'était André Gagnon, un artiste québécois connu pour fusionner la musique classique et la pop. Il était le plus jeune d'une famille de dix-neuf enfants et a commencé à jouer du piano à l'âge de six ans. Il a composé des chansons pour mes émissions pour enfants préférées. Il avait enregistré aux studios Abbey Road, tout comme les Beatles. Son album *Neiges* est resté dans le top 10 des palmarès américains Billboard pendant vingt-quatre semaines. Pour un bon moment, lorsque je montais à bord du Mercury Monarch blanc avec son rembourrage en cuir rouge, il y avait un sentiment d'harmonie dans la voiture – la paix et un peu de bonheur entre la mère et la fille. Des petits moments magiques. Maman avait réussi à s'introduire dans mon monde et moi dans le sien!

En vieillissant, j'ai appris à aimer la musique de maman. Ensemble, nous avons écouté Dassin, Bécaud, Aznavour… J'ai tellement chéri ces moments que de nombreuses années plus tard, j'ai nommé mon fils Charles, comme Aznavour, en l'honneur des moments partagés avec maman, dans sa voiture, à la maison et lors des spectacles de celui-ci.

Monter dans la voiture avec papa pour faire des courses lorsque des amis de la famille venaient le samedi était l'un de mes voyages en voiture préférés parce que nous nous arrêtions souvent à la Pâtisserie de la Gascogne. Ouvrir la porte était comme ouvrir la porte du paradis! Les propriétaires avaient émigré de France et ouvert cette boulangerie en 1957. Papa choisissait la baguette, le fromage, le foie gras, les pailles de fromage, le gâteau, et si j'avais de la chance, un Carambar (bonbon au caramel importé de France).

L'ambiance était différente dans la voiture de papa. Maman semblait préférer des musiciens masculins tandis que papa préférait les femmes. Il n'aimait pas la musique de ma mère; il trouvait cela déprimant. Je pense qu'il était jaloux. S'il avait vu le regard de maman lors d'un concert de Charles Aznavour, je peux vous assurer qu'il le serait devenu! Avec papa, c'était Dalida, Mireille Mathieu, Nana Mouskouri (papa me disait à chaque fois: « Tu sais qu'elle parle six langues? »). Un jour, il a fait l'acquisition d'une nouvelle cassette. Il en était très fier. Il se sentait très branché. D'après lui, avec un groupe comme celui-ci, il était certain d'attirer mon attention. Le groupe battait des records avec les jeunes. Quand on est parent, on préfère éviter que nos enfants nous trouvent ringard! Sur le coup, je n'étais pas certaine, mon père avait l'air presque trop fier, mais je trouvais cela plus contemporain que Mireille et Nana. Papa descendait les fenêtres, et pour me faire rire, ou peut-être pour m'embarrasser, il montait le volume de sa musique et saluait les passants en chantant au son de sa nouvelle découverte: Abba! Gênée, je reculais à l'arrière de mon siège, me cachant. Mais au fond, j'aimais passer du temps avec mon père. Quand je le voyais se transformer au son de la musique, son enthousiasme était contagieux. Aujourd'hui encore, vous pourriez me surprendre à mon tour au volant de ma voiture en train de chanter à pleins poumons sur les refrains d'Abba.

Cette fois-là, j'avais trente-trois ans. Mon père vieillissait, tout comme les gens qui l'entouraient. Nous nous dirigions vers l'hôpital tous les jours. Son petit frère, âgé de soixante-douze ans, était dans un coma dont il ne se réveillait pas. Nous avions tous les deux le cœur brisé. J'essayais d'être forte, mais j'avais dix mille questions qui tournaient en boucle dans ma tête: *Pourquoi lui? Pourquoi vivons-nous? Pourquoi mourons-nous? Où allons-nous? Qui décide?...* J'ai jeté un coup d'œil rapide à papa qui avait l'air complètement brisé. Je voulais le réconforter, mais je ne trouvais pas les mots. Nous étions tous les deux sous le choc. Son frère était plus grand que nature. Je ne pouvais pas imaginer la tristesse qu'il ressentait. En plus de perdre un frère, il était mis devant l'évidence qu'il serait le dernier survivant d'une famille de sept enfants. Pour alléger l'atmosphère, j'ai fait jouer le CD d'Andrea Bocelli dans la voiture. Dès la première chanson, grâce à la puissance de sa voix, j'ai senti un apaisement. Les questions dans ma tête semblaient ralentir. Pour un instant, la lourdeur faisait place à une éclaircie, comme s'il y avait de l'espoir, comme si la vie était plus grande que nous, comme si la mort n'existait pas pendant toute la durée de cette chanson. Nous nous sentions moins seuls. Merci, Andrea Bocelli, d'être venu à notre secours. Chaque fois que je l'entends, je suis transportée dans le temps à revivre ce moment pénible mais beau avec mon père, tous deux liés par la tristesse, l'amour et la musique.

Puis je suis devenue maman. J'ai passé une grande partie de mon temps à servir de chauffeur à un passager miniature, assis dans son siège d'auto derrière moi. Mon père nous avait quittés. Souvent, la tristesse m'envahissait au volant alors que je pensais à lui. Un jour, j'ai entendu mon passager miniature chanter: « You're beautifuuul », et mon cœur a fondu. Il faisait écho à la populaire chanson de James Blunt à la radio dont il marmonnait les paroles. Je l'ai aperçu dans mon rétroviseur, souriant, heureux. Nos yeux se sont croisés; c'était magique. Nous avons chanté ensemble. Un pur bonheur. La musique est toujours ma sauveuse. Dans la voiture, les passagers ont changé, mais j'ai l'impression qu'ils sont toujours là, avec leur énergie, très proches de moi à travers l'amour et la musique.

À Montréal, les hivers sont longs. Quand l'été est terminé et que le froid s'annonce, je suis toujours un peu triste. Mais lorsque je marche dehors, mes écouteurs cachés dans mes oreilles, et que « Love Generation » de Bob Sinclar joue, mon rythme s'accélère, je me sens revivre, un énorme sourire s'affiche sur mon visage. Quelque chose se passe dans mon corps, mon cerveau, mon âme, et c'est l'été à nouveau.

Mon émission préférée est *Ted Lasso*. Inspirée de quelques histoires vraies, c'est drôle et ça fait du bien. Je suis toujours étonnée de voir à quel point le scénario est bon. Et comme si ce n'était pas assez, au parfait moment, on entend une mélodie de Piaf, Queen, Sam Cooke, Wham!, Surfaces, qui me donne la chair de poule. La musique est la cerise sur le *sundae*, le crémage sur le gâteau. Cela m'amène à un bien-être qui frôle l'euphorie.

Hiver 2021. Au milieu de la pandémie, les jours semblaient sombres et répétitifs, comme si on ne voyait pas le bout du tunnel. J'avais besoin d'air frais, de m'évader. Alors, mon mari a suggéré que nous allions faire un tour en voiture avec notre chienne, Kayla. En route vers la rêverie, le volume de la radio au maximum, la chanson « Sunday Best » de Surfaces se fait entendre. J'ai regardé Kayla, qui avait le nez à l'extérieur de la fenêtre et les oreilles qui battaient au vent, et elle avait l'air heureuse. J'ai regardé mon mari qui souriait et avait l'air heureux aussi. Je chantais, je me sentais enfin libre, parce que j'avais tout ce dont j'avais besoin: de l'amour, une bonne chanson, et le sentiment que tout allait bien se passer.

Que je conduise, marche ou cuisine, la musique me fait sourire. Je suis transportée dans le temps. Vous pouvez tout me prendre, mais ne m'enlevez pas ma musique!

La musique occupe une grande place dans ma vie. C'est mon outil numéro un pour garder l'esprit sain. Et il semblerait que je ne sois pas la seule. Même Einstein a admis l'importance de la musique dans sa vie quand il a dit: « Si je n'étais pas physicien, je serais probablement un musicien. Je pense souvent en musique. Je vis mes rêveries en musique. Je vois ma vie en termes de musique. Je puise une bonne partie de ma joie dans la vie de la musique. » Qui sait, c'était peut-être l'un de ses secrets pour accéder à son génie?

Si le dernier de nos sens à disparaître est l'ouïe, la raison est simple: la musique est pleine de vie.

ET VOUS?

Y a-t-il un concert où la musique a créé une énergie magique que vous avez ressentie tout autour de vous? Avez-vous des méthodes pour vous aider à retrouver le calme: yoga, tai-chi, qi gong, prière, méditation? Quel est votre plus beau souvenir d'enfance où vous et vos parents étiez en communion dans l'amour et le bonheur? Peut-être était-ce pendant une période de vacances ou un anniversaire? Avez-vous déjà fait partie d'un groupe où régnait une synergie? Qu'est-ce qui vous rend heureux dans la vie?

À quoi ressemble votre liste de musique préférée? Quels sont les refrains qui vous relient à des souvenirs heureux? Quelles chansons vous motivent? Quelles sont les chansons préférées de votre entourage: mère, père, partenaire, enfants, amis? Quelle chanson nous vient en tête quand on pense à vous? Quel air vous donne instantanément le goût de danser?

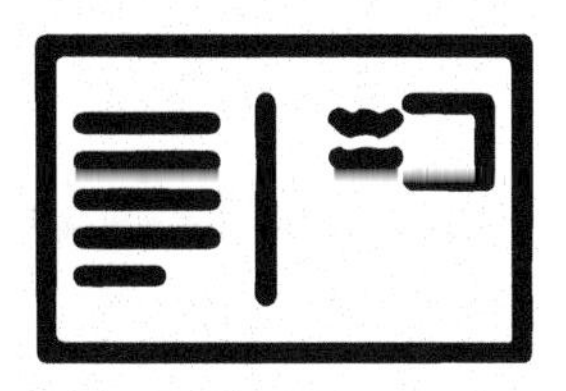

CHAPITRE 3

LA CARTE POSTALE

Aimer ce n'est pas se regarder l'un l'autre, c'est regarder ensemble dans la même direction.

—Antoine de Saint-Exupéry

BANDE SONORE

That's Amore • DEAN MARTIN
Over the Rainbow • VERA LYNN
Mes jeunes années • CHARLES TRENET
Some Enchanted Evening • PERRY COMO
A Sentimental Journey • DORIS DAY
Voulez-vous danser grand-mère • NICOLE CHANLY
Maître Pierre • GEORGES GUÉTARY
Swinging on a Star • BING CROSBY
Beyond the Sea • BOBBY DARIN
In the Mood • GLENN MILLER
La mer • CHARLES TRENET

Un jour, pendant la pandémie de Covid-19, je fouillais dans des boîtes quand je suis tombée sur une vieille carte postale écrite par mon père à ma mère bien avant qu'ils ne se marient. Mon père avait dû quitter Montréal pour Arnprior, en Ontario, pour suivre des cours intensifs qui l'aideraient à enfin avoir sa propre entreprise de commerce de bois un jour.

30 août 1949
Arnprior (Ontario)

Chère Gisèle,

Je t'envoie un mot car je ne vais pas pouvoir te téléphoner ce soir ou demain, je pars pour quelques jours dans la forêt. Je n'ai pas besoin de te dire que je m'ennuie affreusement et que tu me manques terriblement. Je vois le jour de mon départ avancer avec une extrême lenteur.

À bientôt,

Jean

Trouver cette carte postale m'a fait réaliser qu'avant d'être mes parents, ma mère et mon père étaient deux personnes qui étaient tombées amoureuses. J'ai essayé de me ramener à l'époque où cette carte postale a été écrite. Je vous invite à vous asseoir confortablement et à retourner avec moi en 1949 à Montréal, au Québec.

C'étaient les années de la Grande Noirceur. Maurice Duplessis était au pouvoir. Un avocat célibataire, marié à l'Église et à la province, contre le féminisme et le modernisme, souvent décrit comme rigide et dictatorial.

La radio occupait les soirées. Lucille Dumont jouait beaucoup, ainsi que la chanson à succès de Perry Como, « Some Enchanted Evening », et quelques-uns des soixante-neuf succès du top 10 de l'Orchestre Glenn Miller. (Ils ont eu plus de succès dans le top 10 que les Beatles, Elvis et Drake!) La télévision était la nouvelle innovation dans les salons américains, mais elle n'avait pas encore traversé les frontières du Québec. Outre la musique, la radio diffusait les nouvelles, les feuilletons savons ou le hockey. Lancée en 1931, *La soirée du hockey* deviendra une émission phare de la télévision.

Les miracles se faisaient rares dans la religion catholique, mais Maurice Richard accomplissait des prouesses sur la glace. C'est la naissance du patriotisme envers l'équipe de hockey montréalaise.

Le samedi, les gens se réunissaient au cinéma Beaubien, à l'Impérial ou encore au Loews. Les femmes voulaient voir les beaux Yves Montand, Humphrey Bogart, Clark Gable, John Wayne, Fred Astaire et Gregory Peck, tandis que les hommes rêvaient de Michèle Morgan, Ava Gardner, Marilyn Monroe et Simone Signoret. Au théâtre, La Poune et Olivier Guimond faisaient rire tout le Québec.

Une miche de pain coûtait treize cents, le salaire minimum était de quarante cents et une maison coûtait en moyenne sept mille dollars. Cette année-là, le disque vinyle 45 tours et la caméra Polaroid occupaient la première place dans les nouveautés. (Prendre un *selfie* était beaucoup plus compliqué à l'époque!)

Les gens fumaient la cigarette parce que c'était élégant; personne ne se préoccupait des effets secondaires nocifs. On buvait du caribou (mélange de whisky et de sirop d'érable), du gin, des martinis et de la bière Labatt. De leur côté, les enfants buvaient de la bière d'épinette ou du crème soda Crush.

Les voyages n'étaient que très rarement au programme. Dans les assiettes, que des repas simples: pâté chinois, ragoût ou spaghetti… Les influences de la cuisine française et américaine se faisaient sentir. Depuis la fin de la guerre, le Jell-O était plus populaire que jamais, faisant de l'aspic un plat à la mode. Nous en trouvions dans toutes les formes, couleurs et saveurs. Dans les réceptions, les aspics côtoient les œufs mayonnaise, la salade de pâtes mayonnaise, le jambon mayonnaise sans oublier les petits sandwichs coupés en triangle. (Rappelons que Kraft a commercialisé sa mayonnaise en 1930.) Nous étions à des années-lumière des sushis et des influences de grandes gastronomies à venir. La restauration rapide n'était pas encore une tendance et les mères passaient beaucoup de temps à cuisiner. Elles avaient de grandes familles à nourrir, et les heures de repas étaient considérées comme sacrées.

Les achats se faisaient en espèces. Parfois, un compte était ouvert pour payer plus tard, parce que tout le monde se faisait confiance. La parole d'un homme avait de la valeur; personne ne voulait passer pour un menteur et devoir se confesser au prêtre!

Après avoir survécu à la guerre et à la Grande Dépression, les gens considéraient le gaspillage comme un péché. Le budget des ménages était étiré au maximum et les vêtements rapiécés par les mères passaient d'un enfant à l'autre.

Les meubles étaient robustes, faits pour durer longtemps et souvent transmis à la génération suivante. L'obsolescence programmée n'existait pas encore.

Un homme devait paraître fort, ne jamais pleurer et ne jamais exprimer ses sentiments, au risque d'être perçu comme faible. Une bonne communication dans un couple ou au bureau était rare. Un mariage durait toute la vie, que vous soyez ou non avec la bonne personne.

Les femmes n'avaient le droit de vote que depuis 1940. La religion catholique était très présente au Québec, une présence suffocante en fait, surtout pour le sexe féminin. Les familles étaient nombreuses, encouragées par les curés qui répétaient qu'une femme irait en enfer si elle ne faisait pas son devoir de peupler le Québec. L'école n'était obligatoire que depuis 1943. Cela n'a pas empêché certains enfants de quitter l'école dès l'âge de quatorze ans pour aider leurs parents. Les divorces n'existaient pas, pas plus que les avortements. L'homosexualité était considérée comme anormale. Personne ne souriait sur les photos. Le respect était à l'ordre du jour; l'autorité jamais remise en question.

Maintenant, vous avez une bonne idée de la vie dans la période de l'après-guerre au Québec. Si vous êtes né à cette époque, il est fort possible que ce soit aussi vos fondements, et ils peuvent expliquer le comportement de beaucoup de gens et le rôle de plusieurs institutions à ce jour.

Rien n'est plus vrai que cette phrase de Shakespeare: « Sache que les hommes sont ce qu'est leur époque. »

Ce contexte explique certainement beaucoup de choses sur Jean et Gisèle.

JEAN

À Montréal, baptisée par Mark Twain la ville aux cent clochers, c'était la fin de la Première Guerre mondiale. Mon père Jean naît en 1918. Il porte le nom d'un saint; cela va de soi.

Pas trop religieux, Jean fréquentait quand même l'église quand il le fallait. Comme son père avant lui, il passait aussi des week-ends en méditation silencieuse avec les moines trappistes à l'abbaye d'Oka, ramenant du fromage et du chocolat pour se faire pardonner par sa famille d'avoir été absent pendant deux jours, et sa famille dévorait tout. Il n'a pas prêché les paroles de la Bible, loin de là, mais il gardait en tête les parties importantes. Il était honnête, authentique et généreux, bien qu'impulsif et parfois colérique. Conscient qu'il n'était pas parfait, il faisait de son mieux pour travailler sur lui-même. Toute sa vie, il a remis en question le mystère de la vie et de la mort.

Avec raison. Il n'avait que dix-sept ans lorsque son père mourut. Entrepreneur et marchand de bois d'avant-garde dans les années vingt, Henri importait de la machinerie d'Allemagne et s'y rendait souvent à une époque où les Québécois voyageaient très peu. Il connut beaucoup de succès. Il habitait une belle maison à Outremont, avec une épouse, sept enfants, un chauffeur, une cuisinière… La vie était belle, jusqu'au jour où il fit confiance à des amis en affaires.

Malheureusement, cela lui a coûté sa vie et sa fortune. Henri était un homme d'honneur, mais tous les hommes n'avaient pas hérité de la même droiture. À cette époque, cette parole pouvait devenir aussi contraignante qu'un contrat légal.

Quand il a décidé d'offrir ses services pour mettre à profit sa nouvelle machine allemande, trois de ses amis ont manifesté leur intérêt. Mais comme la Grande Dépression était imminente, ils se sont tous désistés, causant ainsi un énorme problème financier pour Henri, qui a dû vendre sa précieuse machine et son entreprise. Il était passé de la capacité de subvenir amplement aux besoins de sa famille à une lutte financière quotidienne. La perte de statut et de richesse a été un coup dur pour toute la famille. Le coup fut si violent pour Henri qu'un cancer de la gorge l'emporta à cinquante et un ans. Lors de ses funérailles, l'un de ses enfants portait un manteau de l'Armée de Salut. C'est pour vous dire…

Très jeune, Jean avait appris que lorsqu'on a la fortune et la santé, tout le monde est là, mais quand on perd tout, il reste souvent peu de gens. Seuls vos vrais amis resteront. La perte et le malheur sont un test pour l'amitié. Cette leçon a été la plus difficile qu'il ait jamais eu à apprendre, mais elle a façonné ses valeurs, son caractère et sa famille, en le guidant et en le motivant.

Après la mort de son père, Jean a développé un fort sens des responsabilités envers ses proches. Il se retrouvait souvent à défendre ses trois frères. Son petit frère Pierre l'appelait « le lion de la famille ». Il conserverait ce trait de personnalité toute sa vie.

L'un de ses frères était la cible d'intimidation et Jean venait souvent à son secours. Une fois, alors que les deux étaient dans un camp organisé par des prêtres, Jean trouva son frère caché derrière un arbre. Celui-ci lui expliqua qu'il était maltraité par les prêtres. Ils ont aussitôt quitté le camp, pratiquant l'auto-stop pour retourner à la maison. Sa mère, écoutant les explications de ce retour impromptu, conclut que Jean mentait, et cela confirmait à ses yeux qu'il était un fauteur de troubles. Comment pouvait-on imaginer que des hommes de l'Église pouvaient maltraiter un enfant?...

Sa mère était une femme forte et intelligente, très en avance sur son temps. Elle a été la première de sa communauté à obtenir son permis de conduire, et elle faisait de l'argent sur le marché boursier. Elle pouvait aussi être dure, surtout avec Jean. C'était une femme cultivée, brillante et intelligente, et le frère aîné de Jean représentait tout ce qu'un fils devrait être à ses yeux. Mais Jean voulait suivre les traces de son père dans le commerce du bois, ce qui ne convenait pas aux aspirations de sa mère. Pour Jean, l'important était de venger son père. Après la mort de ce dernier, le jeune homme a eu des emplois différents, dont certains étaient bien rémunérés, mais aucun d'entre eux n'était particulièrement *chic*. Alors que les jeunes garçons de son âge étaient occupés à dépenser de l'argent, à vivre leur adolescence et à aller dans les bars, Jean préparait son plan de vengeance en gardant toutes ses économies.

Lorsque ses amis du quartier de la classe moyenne supérieure d'Outremont sortaient, ils prenaient un taxi payé par leurs parents. Jean ne pouvait pas se le permettre, et il prétendait qu'il avait une course à faire en chemin et qu'il les rencontrerait plus tard. En vérité, il marchait jusqu'au centre-ville pour les rejoindre. Tout au long de sa longue marche, Jean pensait: « Un jour, regardez-moi, j'aurai la plus belle voiture! »

À l'âge de vingt et un ans, Jean s'est enrôlé dans l'armée et a passé trois ans en Angleterre. L'environnement était rude, et il voyait souvent ses amis revenir du front défigurés, amputés ou morts. Il avait rejoint l'armée avec son meilleur ami, un voisin. Un soir, alors que Jean était en congé pour quarante-huit heures, ils avaient décidé de se voir. Constatant que son ami ne venait pas, Jean se doutait que le lendemain il serait celui qui informerait la famille que son ami était porté disparu au combat. Un autre coup dur pour Jean. Au cours de sa vie, il s'est fait beaucoup d'amis, mais n'a jamais partagé un lien aussi fort qu'avec ce meilleur ami.

Le soir, Jean en profitait pour étudier la comptabilité et le commerce du bois. Les Britanniques aimaient les jeunes Canadiens. Jean avait été invité dans des familles, où on le nourrissait de *fish and chips* et de *plum-pudding*, des mets typiquement anglais. Le *fish and chips*, il aimait beaucoup, mais on ne peut pas en dire autant du second mets. Poli, avec beaucoup d'effort, il finissait toujours son assiette. Le patriarche de la famille, pensant que Jean adorait son dessert, réclamait à sa femme de lui en servir encore. Après son retour à Montréal, Jean a refusé de manger du *plum-pudding* jusqu'à la fin de ses jours, aussi bon soit-il.

Le retour à Montréal a été difficile. Mais Jean a réussi à trouver un emploi dans l'une des plus grandes entreprises forestières de Montréal. Il y a gravi les échelons et en est devenu vice-président. Il travaillait fort pour économiser plus d'argent. Certains soirs, il sortait avec des amis, mais il n'avait qu'une chose en tête: devenir marchand de bois et reconstruire l'honneur de son père.

Peu de place au plaisir donc, mais un jour, il a accepté l'invitation d'une amie, qui organisait un défilé de mode. Il allait la saluer quand il rencontra une jeune femme qui travaillait pour elle, sa nièce Gisèle. Ce fut le coup de foudre et leur vie était sur le point de changer…

GISÈLE

Gisèle est née en 1929, l'année du krach boursier et du début de la Grande Dépression. Elle était l'aînée de dix enfants et avait l'habitude d'une maisonnée nombreuse, qui amenait beaucoup de vie mais aussi beaucoup de responsabilités. Dans les clans de ce genre, l'aînée servait souvent de deuxième mère. Gisèle n'a pas fait exception. Ses frères et sœurs la considéraient comme autoritaire, un trait normal pour l'aîné.

Faire la cuisine était considéré comme une partie importante des tâches ménagères. Les repas de famille étaient un moment sacré, et le devoir d'une femme consistait à préparer des plats réconfortants. Gisèle aimait ses frères et sœurs, mais changer les couches et faire le ménage ne la passionnait pas. À dix-sept ans, elle avait besoin d'aventure, elle avait le goût de liberté et de vivre! À l'école, elle avait appris la bonne étiquette, la cuisine et les tâches ménagères. Mais ce qu'elle voulait vraiment, c'était devenir créatrice de mode comme sa tante Jeannette, qu'elle admirait. Désirant contribuer à ses aspirations, Jeannette l'a embauchée et lui a enseigné le métier, tout en la gardant sous son toit.

Gisèle était élégante, classique mais à la mode, toujours vêtue d'une robe et portant des chaussures à petits talons. Son rouge à lèvres rouge faisait ressortir son sourire enchanteur, ses pommettes roses et ses yeux bleu clair.

Elle aimait la musique et le cinéma. Elle écoutait Bing Crosby, Perry Como et Charles Trenet. Elle adorait aller au cinéma Beaubien pour voir les derniers films avec Gabin ou Montand. La guerre était encore fraîche dans la mémoire des gens; tant de jeunes filles rêvaient d'un homme en uniforme, et Gisèle était l'une d'entre elles. À dix-neuf ans, elle a rencontré Jean, un ex-officier de l'armée et un homme de onze ans son aîné! Cela ferait parler beaucoup de gens!

Jean et Gisèle ont eu leur premier rendez-vous dans un café, puis un autre au cinéma, et ainsi de suite pendant quelques semaines, mois et années. Gisèle arrivait souvent en retard, parfois d'une heure! Elle n'était pas très douée pour gérer son temps ou pour comprendre le système de tramways! Jean l'attendait à chaque fois. Il s'inquiétait pour sa bien-aimée. L'idée de retard passait mal pour un ancien sergent de l'armée qui, lui, n'était jamais en retard. Une fois, pour lui donner une leçon, il a décidé de *la* faire attendre une heure. Durant quelques mois, elle a semblé avoir compris. Plus tard, Jean s'est montré bon joueur en apprenant à utiliser ce temps pour lui-même.

Jean n'était ni patient ni doux, mais Gisèle réussissait à l'apaiser. Était-ce sa joie de vivre, son sourire, ou ses beaux yeux qui l'envoûtaient? Probablement un bon mélange des trois! Il n'a pas fallu longtemps pour que Gisèle tombe amoureuse de

Jean et Jean de Gisèle. Mais Jean était toujours occupé par sa volonté de venger son père. Pendant le jour, il allait travailler dans le bois et, le soir, il suivait des cours à distance sur la comptabilité et le bois d'œuvre. C'est dans ce temps-là que la carte postale que j'ai trouvée a été écrite.

La mère de Gisèle voyait Jean comme un vieux célibataire, peu intéressé par le mariage, et conseilla à sa fille de ne pas perdre son temps à l'attendre et de plutôt trouver un autre parti. De son côté, Jean imaginait un avenir avec Gisèle. Mais sa mère voulait plutôt le jumeler avec une jeune voisine du quartier d'Outremont. Une fille issue d'une *bonne famille*. Les antécédents modestes de Gisèle ne convenaient pas à la mère de Jean. Il rencontra la voisine en question, la trouva gentille, mais la chimie n'était tout simplement pas au rendez-vous. C'est avec Gisèle qu'il voulait être, quoi qu'en pensait sa mère. Il cherchait une femme authentique qui l'aimerait. Et Gisèle était cette personne.

Gisèle a eu raison d'attendre. Le 21 décembre 1956, elle et Jean se sont mariés en secret avec seulement deux témoins. Quelques mois plus tard, leur première fille est née.

Puis ils ont acheté leur première maison, et quand la famille s'est agrandie, ils ont déménagé dans une deuxième. Gisèle était responsable du bien-être de chacun. Elle y excellait, mais passait beaucoup de temps à douter d'elle-même, car le monde avait changé depuis sa jeunesse. La société n'accordait plus autant d'importance aux femmes au foyer qu'avant. La libération des femmes gagnait du terrain et elles quittaient de plus en plus le nid familial pour aller travailler. Pour un homme de la génération de Jean, permettre à sa femme de travailler était mal vu, car cela signifiait que le mari n'était pas assez fort pour subvenir aux besoins de sa famille. Gisèle se consacre donc à son foyer comme beaucoup de femmes de sa génération, mais elle aura toujours un petit doute, des questionnements... *Et si?...*

Jean et Gisèle ont élevé leurs enfants, leur plus grand bonheur. Leur deuxième plus grand bonheur était de divertir leurs amis, de partager un bon repas, quelques cocktails, avec beaucoup de rires, d'amour et de belles histoires. Solides et généreux, ils ont soutenu leur entourage lors de divorces, de deuils, de bonnes et de mauvaises surprises de la vie. Jean s'est accompli avec son entreprise, et Gisèle à travers la cuisine, les amitiés, les réceptions mais surtout sa famille.

Ils ont traversé la Révolution tranquille, la libération des femmes, les transformations technologiques. Ils ont survécu aux crises des sept, douze et vingt ans de mariage. Ils se sont transformés à travers toutes les étapes de la vie.

Plusieurs décennies plus tard, elle avait soixante-quatorze ans, et il en avait quatre-vingt-cinq. Ils ont joué au golf et au bridge ensemble. Gisèle cuisinait leurs repas tous les jours. Ils étaient mariés depuis près de cinquante ans. Ils ont été grands-parents trois fois. Ils ont voyagé partout dans le monde. Ils ont traversé de grandes joies et de grands chagrins, des mariages et des funérailles. Ils ont pleuré ensemble la perte de leur famille proche et de bons amis.

Ils s'aimaient beaucoup, même lorsque la communication tombait parfois en panne. Dans les moments difficiles, ils se rappelaient les premiers moments de leur rencontre. Leur base, leur fondation, leurs rêves, mais surtout les valeurs familiales et humaines qu'ils partageaient.

Ils sont passés de jeunes adultes à jeunes mariés, à jeunes parents, à grands-parents, à de vieux humains fragiles. La vie passe vite. La vie n'est pas parfaite. Un mariage n'est pas toujours une charmante promenade dans le parc. Quand Jean et Gisèle se sont mariés, c'était pour le meilleur et pour le pire. Malgré les tempêtes, il y avait aussi du beau. Et de la beauté, il y en avait.

Parfois, quelques mots sur une vieille carte postale nous rappellent qu'avant une pandémie, avant la naissance d'un nouvel arrière-petit-fils, avant trois petits-fils adultes, trois filles et deux parents âgés, il y avait une histoire d'amour.

Nous avons tendance à oublier ce qu'étaient nos parents avant d'être « maman et papa », avant qu'ils ne soient mariés, avant qu'ils aient leurs enfants. Au quotidien, nous ne pensons pas à la façon dont nous serons perçus dans dix, vingt, trente ans. Trouver cette carte postale m'a fait réaliser à quel point le temps est éphémère. Je me demande si un jour, mon fils trouvera une lettre que j'ai écrite avant sa naissance. Peut-être qu'à son tour, il se retrouvera à voyager dans le temps, et verra le monde à travers mes yeux pour ainsi avoir une meilleure compréhension, une meilleure vision de la femme que je suis et de mon temps.

ET VOUS?

Vous êtes-vous déjà interrogé sur l'influence qu'a eue sur vous l'époque dans laquelle vous vivez? La société dans laquelle vous êtes né? Celle dans laquelle vous avez grandi? Les choses que vous avez faites quand vous étiez enfant et que les jeunes d'aujourd'hui ne font plus? En quoi votre éducation a-t-elle été différente de celle de vos parents? À votre avis, quel était leur état d'esprit quand ils avaient votre âge? Quelle influence la société a eu dans leur vie?

Qu'est-ce qui était à la mode?

Savez-vous quel genre de personnes vos parents étaient avant votre naissance? À quoi ressemblaient-ils quand ils étaient enfants? Comment se sont-ils rencontrés?

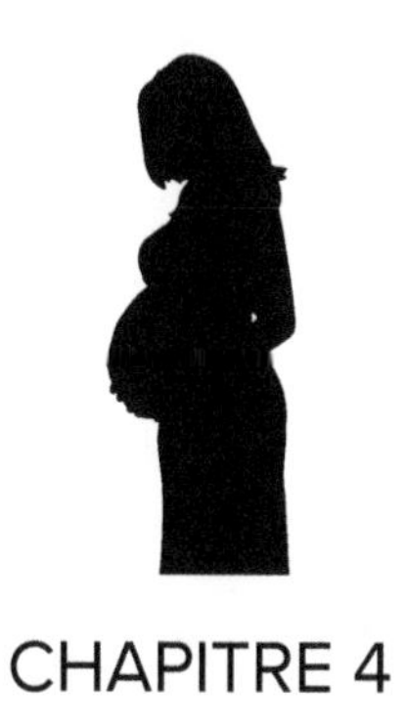

CHAPITRE 4

ON N'A PAS TOUJOURS CE QU'ON VEUT

Le bonheur ne consiste pas à avoir ce que l'on veut,
mais à vouloir ce que l'on a.

—Confucius

BANDE SONORE

You Can't Always Get What You Want • ROLLING STONES
Father and Son • YUSUF CAT STEVENS
Daughters • JOHN MAYER
Maintenant je sais • JEAN GABIN

Vous est-il déjà arrivé de vouloir quelque chose si intensément au point de ne pas voir à quel point vous étiez déjà chanceux à cet instant? Pendant que vous y réfléchissez, voici un bel exemple.

Mon père était entrepreneur. Il est né à une époque où les hommes rêvaient d'un fils pour perpétuer leur nom et leur héritage. Mon père n'était pas différent; il rêvait lui aussi d'avoir un fils qui reprendrait son entreprise.

Un jour, ma mère a rendu visite à son médecin. Elle prenait du poids; ses hormones lui jouaient des tours. Il n'y avait pas de tests de grossesse à domicile à l'époque, alors elle est allée voir le médecin qui l'a examinée à la hâte et lui a dit qu'elle était enceinte.

Tout le monde était très excité. Mon père travaillait dur au bureau, heureux de la possibilité d'avoir enfin son fils. Il a acheté une nouvelle maison parce que la dernière n'était pas assez grande pour la famille grandissante.

Plus tard, ma mère est retournée chez le médecin pour son rendez-vous de suivi de grossesse. Cette fois, il lui a dit qu'elle n'était pas enceinte et qu'il s'était trompé. Elle avait en fait un fibrome dangereusement gros qui devait être opéré de façon urgente. Et il a ajouté froidement qu'elle ne serait jamais en mesure d'avoir un autre enfant, la regardant à peine et utilisant un ton distant et arrogant qui ne montrait aucune trace d'empathie.

Ma mère était dévastée. Mon père, furieux.

Mon père a dû faire son deuil tout en s'inquiétant pour la santé de ma mère, sans parler du stress lié à l'achat de la nouvelle maison. Pour lui, il était inconcevable qu'un médecin fasse une telle erreur et l'annonce de façon si froide. Il l'a trouvé négligent et inhumain. « Si jamais je le rencontre… » Mon père rageait.

Eh bien, il s'avère que la vie est pleine de surprises, parce qu'un soir, il a rencontré le fameux médecin lors d'un cocktail chez des amis. Comme à l'habitude, on prend une bouchée, on serre la main des gens en se présentant. Drôle de hasard, le célèbre spécialiste est apparu devant mon père, étalant longuement son titre avant de mentionner son nom. Inutile de vous dire que lorsque mon père l'a reconnu, le pauvre médecin a eu peur pour sa vie! Ma mère a dû sortir son mari du cocktail très rapidement, car la peur l'avait gagnée à son tour.

La colère est la deuxième étape du deuil. Il se trouve que mon père était en plein milieu de cette phase au moment où il s'était retrouvé devant le médecin en question. Son chagrin était particulièrement difficile à surmonter. Il voulait tellement un fils! (Aujourd'hui, en hommage à mon père, j'ai transmis mon nom de famille à mon fils.) Finalement, ma mère a réussi à calmer mon père, et ils se sont réconfortés en se disant qu'ils étaient très chanceux d'avoir deux belles filles en bonne santé.

La vie continuait. Maman avait organisé une vente de garage, et pour l'aider à traverser son chagrin, elle avait vendu tout ce qui pouvait lui rappeler la venue d'un bébé.

Comme la vie est pleine de rebondissements, les semaines ont passé, et un jour, ma mère a appris que malgré le fait qu'on lui avait dit qu'elle n'aurait plus jamais d'enfants, elle était enceinte, et ce beau bébé (moi) allait se présenter pour le printemps!

Il s'est donc avéré que papa a eu une troisième fille, et non le fils qu'il avait tant espéré. Pauvre papa. Comme le chantent les Rolling Stones: « Vous ne pouvez pas toujours obtenir ce que vous voulez, mais si vous essayez parfois, vous allez trouver que vous avez ce dont vous avez besoin. » Peut-être que mon père n'avait pas besoin d'un garçon, mais de trois filles!

Comme mes parents pensaient qu'ils n'auraient jamais un autre enfant, mon père s'est rendu compte que peu importait qu'il ait un garçon ou une fille, le simple fait d'avoir un autre enfant était une excellente nouvelle. Plus tard, il gardera un œil attentif sur chacun de nos copains, pour s'assurer qu'il les aimait bien!

Pourquoi est-ce que je vous raconte tout cela?

Peut-être parce qu'au moment où j'écris ces lignes, nous traversons une pandémie, et cela me fait réaliser que, quand je m'arrête pour y penser, j'ai tout ce dont j'ai besoin. Bien sûr, une partie de moi pense que j'ai besoin de plus de clients, plus de contrats, plus de voyages. J'aimerais voir mes amis et ma famille. Mais peut-être qu'en ce moment, comme beaucoup, j'ai besoin de réaliser à quel point j'ai de la chance avec ce que j'ai déjà.

Pourtant, pendant une bonne partie de ma vie, j'attendais toujours avec impatience quelque chose qui allait se produire dans l'avenir: étudier à Boston parce que ce serait plus excitant (jamais arrivé), mon deuxième enfant (qui n'est jamais venu), la grande fête du Nouvel An (qui est souvent un peu décevante)…

J'ai entendu tellement de fois: « J'ai hâte de prendre mes vacances! » ou « J'ai hâte de prendre ma retraite ». C'est comme si nous vivions toujours dans le futur. Et si toute cette crise que nous traversons était destinée à nous apprendre à être plus « connectés », plus conscients, à vivre dans le moment présent, parce que nous ne savons jamais ce qui nous attend?

Je suis une rêveuse, une idéaliste. J'en veux souvent plus, mais je me rends compte que mes moments les plus heureux et les plus précieux ne sont pas toujours accompagnés de grande musique et de feux d'artifice.

Quand je pense aux plus beaux moments de ma vie, étrangement, ce sont de petits instants simples.

Mon fils de quatre ans qui m'apporte mon cadeau de la fête des Mères au lit: un beau bracelet en plastique qu'il a fait à la garderie, que j'ai conservé.

Chaque mois de mai, quand je célèbre mon anniversaire entourée de mes amis d'enfance, je m'arrête un moment pour observer chacun d'eux et me rappeler à quel point je les aime.

Quand je suis avec ma famille, mes sœurs, mes neveux, mon mari, mon fils, et que nous jouons à la dame de pique, voir ma sœur Carole qui essaie de prendre le contrôle pour gagner (et qui échoue!) nous fait toujours rire aux éclats.

Quand la soirée pizza du vendredi arrive enfin et que je m'assieds sur le canapé au bord du feu avec mon mari. Pendant que je sirote un gin tonic, il me caresse les cheveux devant un bon film ou une nouvelle série.

Quand mon fils de vingt ans, du haut de ses six pieds, me

dit certains soirs avant d'aller au lit: « Bonne nuit, je t'aime. »

Quand je me promène avec ma chienne le matin et qu'elle se tourne vers moi comme pour me dire: « As-tu vu comme c'est beau autour de nous? »

Parfois, le temps passe et vous vous rendez compte que ce que vous vouliez intensément n'était peut-être pas ce dont vous aviez besoin.

Mon père avait toujours rêvé d'avoir un fils, mais la vie a fait les choses différemment en lui donnant trois filles qu'il adorait, et enfin, quelques années plus tard, trois petits-fils dont il était très fier.

Le bonheur ne se trouve pas dans le futur mais dans les moments présents de la vie quotidienne. Chaque jour, vous pouvez trouver de petits bijoux si vous ouvrez les yeux assez grands.

Il s'avère que les Rolling Stones avaient raison: vous ne pouvez pas toujours obtenir ce que vous voulez, mais vous trouverez toujours ce dont vous avez besoin. Merci, Mick!

ET VOUS?

Y a-t-il eu un moment dans votre vie où vous n'avez pas obtenu ce que vous vouliez et avez découvert plus tard que c'était en fait pour le mieux? De quoi êtes-vous reconnaissant? Avez-vous l'impression de vivre dans le présent, ou vivez-vous pour l'avenir, en pensant au moment où vous serez riche, au moment où vous aurez des vacances?

CHAPITRE 5

ROSE: LA FORCE D'UNE MÈRE

L'amour d'une mère pour son enfant ne ressemble à rien d'autre au monde. Il ne connaît pas de loi, pas de pitié. Il ose toutes choses et écrase sans remords tout ce qui se trouve sur son chemin.

—Agatha Christie

BANDE SONORE

What a Wonderful World • LOUIS ARMSTRONG
Lady Marmalade • NANETTE WORKMAN
La manic • GEORGES DOR
C'est beau la vie • JEAN FERRAT
Gigi l'amoroso • DALIDA
La ballade des gens heureux • GÉRARD LENORMAN
L'Amérique • JOE DASSIN
Pardonne-moi ce caprice d'enfant • MIREILLE MATHIEU
Soleil soleil • NANA MOUSKOURI
Le métèque • GEORGES MOUSTAKI
La prison de Londres • LOUISE FORESTIER
Je reviendrai à Montréal • ROBERT CHARLEBOIS
Un ange gardien • BEAU DOMMAGE
La complainte du phoque en Alaska • BEAU DOMMAGE
Le téléphone pleure • CLAUDE FRANÇOIS
Un éléphant sur mon balcon • ROGER WHITTAKER
Maman la plus belle du monde • LUIS MARIANO

1974. J'étais encore petite. C'était le dimanche de la fête des Mères. Nous étions en route vers la maison des grands-parents maternels. En chemin, la radio jouait *Un ange gardien* de Beau Dommage.

J'avais hâte de voir mes cousines. Dès notre arrivée, quelqu'un a crié: « C'est Gisèle et Jean! » Nous nous sommes dirigés vers la chambre de Viviane, pour déposer nos manteaux sur le lit, par-dessus un énorme tas de vêtements.

Mes sœurs sont allées à la rencontre des cousines de leur âge. Papa est allé discuter avec les oncles, et maman s'est dirigée vers mes tantes. Moi j'ai trouvé Loulou, Isa et Sylvie. La maison n'était pas grande, et avec dix frères et sœurs et leurs conjoints et enfants, elle débordait. Alors qu'on courait et riait, on nous a rapidement fortement recommandé d'aller jouer dehors. En sortant, nous avons reçu un petit cadeau de grand-mère: des bouteilles de crème soda. Elle les avait toujours prêtes pour nous, au frais dans l'entrée. Un vrai régal. Surtout pour moi, parce que maman n'achetait jamais de boissons gazeuses ou de malbouffe. Maman était en très bonne santé et préférait nous nourrir de pain brun et de jus de carotte, le plus souvent possible. Je l'ai entendue s'exclamer: « Non, maman! » mais elle ne pouvait pas toujours gagner. Tout le monde avait déjà sa bouteille à la main et grand-mère a répondu: « Ce n'est qu'un soda, c'est une occasion spéciale! » Ensuite, les jeux pouvaient commencer: cache-cache, *tag*, etc.

Les heures ont passé. Une voix a crié: « Les enfants, venez manger! » Affamés, nous nous sommes bousculés dans la salle à manger pour consommer de petits sandwichs triangulaires, de la salade de macaronis, du céleri au Cheez Whiz, des saucisses, des œufs farcis… L'atmosphère était calme pendant quelques minutes.

Nous pouvions entendre les voix qui faisaient écho aux adultes. Oncle Claude racontait des histoires de sa jeunesse, interrompu par ses frères Yvon et Gaston qui prenaient plaisir à le corriger. Tout le monde riait. Puis, la musique a retenti, et les femmes ont commencé à danser.

Maman ne voyait pas souvent ses frères et sœurs, mais je pouvais sentir qu'elle était proche d'eux, heureuse d'être dans son monde. Je la percevais sous un jour différent. Ce soir-là, elle n'était plus maman ou la femme de Jean, mais la grande sœur, la fille de Georges et Rose. Elle était dans son clan.

Après le dessert, c'était l'heure des cafés et des digestifs. Nous nous sommes échappés plus loin dans la maison, suivis de l'oncle Paul. Il avait les cheveux gris et de beaux yeux bleus. Il aimait nous raconter des blagues. En ricanant, on faisait semblant que c'était la première fois que nous les entendions.

Oncle Paul vivait avec mes grands-parents, il devait avoir quarante ans. À l'âge de vingt et un ans, il s'était fiancé. Il était follement amoureux et avait un bel avenir devant lui. Tout le monde était si fier de lui. Il avait tout: la beauté, l'intelligence, l'amour. Un soir, il est sorti avec des amis, et ils sont entrés en collision frontale avec un gros camion. Son ami, assis sur le siège du passager avant, est mort sur le coup. Le conducteur a survécu avec seulement des côtes cassées. Oncle Paul, qui était assis à l'arrière, a subi une blessure à la tête. Il a perdu sa mémoire à court et à moyen terme, se souvenant de son enfance mais oubliant ce qu'il avait fait dans les dernières minutes.

À l'hôpital, sa fiancée lui rendait visite tous les jours, et chaque fois, il lui demandait qui elle était. Elle revenait pleine d'espoir, jusqu'au jour où elle cessa de venir. Oncle Paul a perdu sa fiancée, son emploi, sa carrière, son avenir. Il est retourné vivre chez mes grands-parents. Il avait tout un système de soutien pour l'aider, avec ses parents à la barre.

Ma grand-mère a subi beaucoup de pression pour l'emmener dans une institution. C'était une énorme source de stress pour elle, mais elle ne voulait rien entendre; c'était son fils.

Lorsque Paul était à l'hôpital, il ne marchait plus, ne parlait plus et était étiqueté « végétatif ». Tous les jours, ma grand-mère était là. N'ayant ni voiture ni permis de conduire, elle voyageait deux heures en autobus pour être à ses côtés. Dans les années cinquante, si un enfant avait une déficience intellectuelle, il était automatiquement placé dans un hôpital psychiatrique. Le médecin avait « réussi » à trouver une place à Paul à l'Hôpital Saint-Jean-de-Dieu, un asile psychiatrique. L'ambulance était censée l'emmener, mais Rose l'a ramené à la maison sans le dire à son mari. Elle avait pris sa décision. Il n'y avait pas de discussion à y avoir. C'était une femme de principes, et l'un de ces principes était qu'elle ne laisserait jamais tomber un de ses enfants. Elle a tout mis en place pour assurer une vie presque normale à Paul.

Paul n'était pas le premier enfant dont Rose devait s'occuper à l'âge adulte. Elle a fait la même chose pour sa fille Viviane, née avec un trouble d'apprentissage, qu'elle a également gardée à la maison contre les recommandations des médecins. Elle lui avait appris à être indépendante malgré les défis reliés à sa condition. Finalement, Viviane avait trouvé l'amour, un travail et un endroit où rester.

Quand Rose est décédée, tout le monde était très inquiet pour mon grand-père, pour Viviane, mais surtout pour Paul. Il y a eu quelques défis, mais les choses ont fini par s'arranger. Quand mon grand-père est décédé à son tour, l'oncle Paul est devenu un peu plus perdu. Il vivait alors avec l'un de mes oncles. Finalement, il s'est retrouvé à l'hôpital. Maman allait lui rendre visite, et à chaque fois, elle revenait désemparée. Entre quatre murs, sans l'amour de mes grands-parents, sans leur stimulation et leur routine, il est mort. D'abord mentalement, puis physiquement.

L'amour est un médicament fort. C'est sans équivoque. Il peut prolonger la vie et la qualité de vie d'une personne et même la sauver.

Je ne savais pas grand-chose de ma grand-mère. Quand je la voyais, elle était un peu sèche avec moi et m'appelait parfois Carole, parfois Josée, parfois Sylvie, mais rarement par mon nom, Elizabeth. Je ne lui en voulais pas. J'avais très bien compris qu'avec dix enfants et près de vingt petits-enfants, mon nom se perdait dans la balance. Avec toutes ces personnes autour d'elle, elle avait rarement le temps ou l'envie de discuter. Donc, je l'ai connue en apprenant de ses actions et à travers ma mère. Les dernières années, elle avait l'air petite, frêle et fragile. Mais les choses qui comptent le plus sont souvent invisibles à l'œil nu. Je n'ai pas vu l'extrême force de cette petite femme. Je ne me rendais pas compte des énormes défis qu'elle devait surmonter au quotidien.

Lorsque le malheur frappe, nous essayons de trouver la raison, le sens derrière lui. Les leçons ne sont pas toujours évidentes sur le coup. Parfois, la leçon est plus grande que nous. Nous ne pouvons la voir qu'avec le recul. Et le sens peut prendre une génération pour se faire connaître.

Mes grands-parents n'ont pas eu une vie facile: élever une famille de dix enfants, dont deux avec des gros défis. Malgré cela, je ne les ai jamais entendus se plaindre.

Être parent signifie qu'un jour nous devrons nous séparer de nos enfants. Cela peut nous briser le cœur de les voir quitter la maison et devenir indépendants, mais c'est une étape nécessaire de la vie. Nous pouvons choisir de voir ce passage comme un nouveau chapitre où nous avons l'occasion de nous redécouvrir.

En gardant deux enfants à la maison, Rose et Georges ont fait d'énormes sacrifices, mais leurs dix enfants et petits-enfants ont reçu une leçon incroyable.

Je suis convaincue que c'est ce trait de caractère humain qui a fait tomber mon père amoureux de ma mère. Elle avait un côté implacablement humain. Elle ne jugeait jamais. Elle était authentique et vraie. Elle regardait toujours le bon côté des gens.

Je suis consciente que grâce à mon ADN, j'ai hérité de plusieurs traits de plusieurs familles et qu'il est impossible de savoir qui m'a transmis quoi. Malgré cela, j'aime croire qu'en moi il y a un peu de Rose et de Georges, une force, des valeurs solides qui me rappellent que contre toute attente et malgré toutes les pressions extérieures, nous faisons tout pour ceux que nous aimons.

Il y a beaucoup de gens comme mes grands-parents, mais ils ne font pas les manchettes; ils ne cherchent pas l'attention ou les caméras. Ils sont vrais et authentiques, et n'ont aucun intérêt pour le flash ou la gloire. Ces gens sont des bijoux. Parfois, il vous suffit de creuser un peu plus profondément pour trouver le trésor caché.

ET VOUS?

Y a-t-il quelqu'un de votre entourage qui a une force incroyable et qui vit ou a vécu une histoire de résilience? Avez-vous déjà jugé quelqu'un trop vite? Peut-être pensiez-vous que cette personne était froide et distante, mais plus tard, vous avez découvert que, malgré leur apparente froideur, ses actions étaient remplies d'amour?

CHAPITRE 6

LE 32

La maison est le point de départ de l'espoir, de l'amour et des rêves.

—Anonyme

BANDE SONORE

Home to You • SIGRID
Our House • MADNESS
Je reviens chez nous • JEAN-PIERRE FERLAND
Ma main a besoin de ta main • CHARLES AZNAVOUR
Plus tôt • ALEXANDRA STRÉLISKI
To Build a Home • THE CINEMATIC ORCHESTRA
Take Me Home, Country Roads • JOHN DENVER
Home • PHILLIP PHILLIPS
Home • MICHAEL BUBLÉ
Home • EDWARD SHARPE & THE MAGNETIC ZEROS
Close to You • CARPENTERS
What a Wonderful World • LOUIS ARMSTRONG
La maison où j'ai grandi • FRANÇOISE HARDY

10 mai 2003, 15 h. Le camion de déménagement tournait le coin. Je revenais dans la maison de mon enfance pour dire un dernier au revoir. J'avais le cœur brisé. J'avais l'impression de perdre un membre de ma famille.

J'étais envahie par des histoires, des souvenirs, des *flashbacks*...

L'ACHAT: C'EST UN DÉBUT

1963. Papa avait appris que sa famille allait s'agrandir; plus d'espace était donc requis. Heureux hasard, André, ami d'enfance et aussi voisin d'enfance, l'appelle pour le saluer. Dans la conversation, il glisse que sa voisine d'à côté, Mme Paradis, est maintenant veuve et qu'elle aimerait vendre son chalet au bord de l'eau. Elle y avait vécu de belles années avec sa famille, mais sa vie avait pris un nouveau tournant. Deuxième belle coïncidence: André, maintenant courtier immobilier, pouvait organiser une visite. « Imagine, s'exclame t-il, on serait encore voisins! » Curieux, papa et maman décident d'y aller.

C'était une maison de campagne à deux portes: la porte d'entrée était principalement utilisée pour les invités (et pour papa). La porte latérale menait à la salle de lavage et directement dans la cuisine, avec sa large baie vitrée, et son atmosphère chaleureuse et accueillante. Cet accès était pratique pour apporter l'épicerie directement dans la cuisine.

Maman et papa s'imaginaient plus près de la ville, mais après avoir vu la maison, sa vue sur l'eau, sa vieille piscine construite dans les années trente, très art déco, ils ont imaginé leurs filles courir partout, heureuses et libres. Papa se souvenait de ses étés sur les plages de Saint-Eustache quand il était tout petit garçon. L'espace BBQ, avec son énorme table de pique-nique ronde pour 12 personnes abritée sous un énorme parasol, faisait rêver de fêtes entre amis. Ç'a été le coup de foudre. Ce chalet devait devenir le nôtre. Troisième heureuse coïncidence: il apprend que sa mère connaissait Mme Paradis, ce qui facilite les négociations. Et voilà la petite famille installée dans une nouvelle maison prête à accueillir un nouveau bébé.

Le chalet était le premier à être construit dans la rue dans les années vingt. Tout autour, il n'y avait que des maisons secondaires qui furent transformées, une par une, en domicile principal. Les populations quittaient la ville, car elles étaient de plus en plus attirées par la nouvelle vie de banlieue. Nous ne faisions pas exception. C'est là que notre histoire commence. Papa avait bien choisi ce qui deviendrait notre maison familiale pour les quarante prochaines années!

LA CUISINE

La cuisine était vraiment le cœur de la maison. Ses murs jaunes et la baie vitrée donnant sur le terrain avant lui donnait une allure chaleureuse. Pour ma mère, la baie vitrée était une épée à double tranchant: elle pouvait voir qui était à la porte, mais elle n'avait nulle part où se cacher si un intrus se présentait.

Contrairement à aujourd'hui, on était loin du concept de la cuisine à aire ouverte, pas très courant à l'époque. L'idée consistait à cacher celle-ci; ce n'était pas un espace chic mais plutôt trop vivant, trop vite désordonné. La pièce était assez grande pour nous permettre de nous asseoir cinq à table et c'est là que nous mangions tous nos repas ou presque. Pour les grandes occasions, on déménageait dans la salle à manger, plus distinguée et plus grande. Les délicieux petits plats cuisinés par ma mère étaient un moment fort de nos journées et remplissaient nos cœurs de joie.

La première rénovation a eu lieu dans les années soixante-dix. Exit armoires brunes et tapisserie fleurie! Tous les dix ans, la cuisine se vêtissait d'un nouveau look, mais elle conservait toujours son atmosphère chaleureuse et son rôle de cœur de la maison.

Même quand elle ne cuisinait pas, maman passait la plupart de son temps dans la cuisine. À l'extrémité de la pièce, en suivant le fil du téléphone, on pouvait souvent la trouver, l'appareil à la main, assise sur un petit banc, dans son espace *communications*. Ses amies – Mady, Denise, Jocelyne, Suzanne et Florence – n'étaient jamais bien loin. Chacune à tour de rôle, elles échangeaient au bout de la ligne avec ma mère en partageant leurs états d'âme sur tous les sujets et parfois même sur l'actualité.

LE SALON ET SON PIANO

Au cours de la première de nombreuses rénovations, dans les années soixante-dix, nous avons découvert une carte électrique reliée à chaque pièce de la maison. Nous imaginions un valet qui accourait aux appels d'une dame âgée. Le panneau ne fonctionnait plus, sauf pour deux cloches. Cette configuration donnait lieu à quelques blagues pratiques. L'un des plaisirs de papa était de faire de moi sa complice en jouant des tours. Il sonnait la cloche, celle cachée derrière un rideau dans sa chambre, et la sonnerie des portes d'entrée retentissait. Étant loin au deuxième étage, il criait à maman de répondre. Les mains dans la pâte, en train de préparer un repas, elle se demandait pourquoi celui-ci ne répondait pas. Elle se précipitait vers la porte, l'ouvrait et s'exclamait: « Il n'y a personne ici! Elle courait ensuite vers la porte arrière à l'autre bout de la maison. Une fois à destination, il n'y avait encore personne là non plus, puis elle commençait à comprendre et s'exclamait:

« Urgh! Jeaaan!!! » Maman retournait à sa cuisine un peu irritée pendant qu'on entendait deux enfants rire aux éclats. Malgré son apparence, mon père avait parfois douze ans d'âge mental.

Le grand salon était annexé au boudoir familial. Il y avait de grandes fenêtres à partir desquelles le regard pouvait se perdre dans l'eau du lac. Nous nous asseyions là plus souvent lorsque nous avions des invités, quand on recevait et qu'on avait besoin d'espace. Lorsque j'étais malade et que maman voulait garder un œil sur moi, je m'endormais souvent couchée sur le long sofa bleu en regardant la vue.

Notre piano à queue trônait dans ce grand salon. Maman rêvait de nous entendre jouer. J'ai pris des leçons pendant cinq ans. J'ai bien fait, mais je dois admettre que je préférais Elton John à Chopin. J'aimais mieux jouer dehors avec mes amis plutôt que de pratiquer. Tout le contraire de Carole, ma sœur aînée, qui préférait de loin la pratique du piano. Elle est même devenue enseignante pendant un certain temps!

On pouvait l'entendre jouer à toute heure de la journée, parfois même à sept heures du matin! Le réveil pouvait être brutal quand elle se fâchait contre elle-même pour avoir manqué une note de Beethoven et décidait de frapper le piano brusquement. Après un tel épisode, il était difficile de se rendormir. Mais la plupart du temps quand elle jouait, c'était réconfortant, apaisant, et ça faisait rêver!

Aujourd'hui, quarante ans plus tard, j'écoute souvent Alexandra Stréliski, une pianiste québécoise que j'adore. Je me dis que ma mère aurait aussi aimé l'écouter en boucle. Bientôt, je ferai l'acquisition d'un petit piano à queue, et je vais recommencer à jouer Chopin, Beethoven et peut-être Stréliski. Et je ne serai pas pressée d'aller jouer dehors avec mes amies. Le temps change les choses!

L'ARRIVÉE DE PAPA

Chaque soir, papa arrivait vers six heures. Il faisait quelques pas vers le salon, échangeait sa veste et sa cravate pour un cardigan de laine beige, plus confortable. Papa était toujours bien habillé. Aucun jeans dans sa garde-robe. Ses vêtements de bureau comprenaient une chemise blanche bien pressée, une cravate, des boutons de manchette et un mouchoir de poche. Le week-end, si on recevait, il portait ses jolis chandails de laine, verts ou jaunes. La touche finale, pour des occasions spéciales, était son eau de Cologne Knize Ten, une grosse bouteille que son frère lui rapportait de Paris. Possiblement la dernière chose en ma possession pour me souvenir de lui.

Puis, il regardait la magnifique vue sur le lac. Il sentait qu'il pouvait enfin se reposer. Nous venions lui dire bonjour. Il se dirigeait vers son *La-Z-Boy* sacré dans le salon familial. Maman lui racontait les aventures de la journée. Elle lui coupait une pomme verte en quatre et il faisait une courte sieste pendant qu'elle préparait le dîner. Maman nous ordonnait de ne pas le déranger.

À l'époque, le contraste entre un homme dans son accoutrement de travail et sa tenue à la maison était assez frappant. Aujourd'hui, je vois rarement des gens porter des cravates et s'habiller chic pour le travail, surtout depuis que la Covid a frappé. Quant au *La-Z-Boy*, je n'en ai pas chez moi mais j'y pense souvent. Ma sœur et moi nous sommes souvent battues pour avoir la place du patron, parce que nos pieds se retrouvaient en l'air et que le dos de la chaise nous offrait un massage!

SALLE FAMILIALE

Une fois le dîner terminé, comme c'était la coutume dans la plupart des foyers nord-américains, si nous n'avions pas de devoir, nous passions une bonne partie de la soirée devant la télévision. La routine voulait qu'après la lecture de son journal papier, papa s'emparait de la télécommande pour écouter ses émissions: les nouvelles et les talk-shows (*Parle parle, jase jase*). Avec un peu de chance, on pouvait parfois l'influencer sur ce qu'il fallait regarder.

Tellement d'histoires dans un si petit espace

Toute la famille soutenait l'équipe nationale de hockey, les Canadiens de Montréal, et nous sautions de joie lorsque l'animateur s'exclamait: « Il lance et coooompte! » Le football et le baseball étaient également populaires, mais rien ne nous allumait comme le hockey.

Les Canadiens de Montréal est l'équipe de hockey qui a remporté le plus de Coupes Stanley (vingt-quatre fois!), et quand j'étais enfant, ils gagnaient presque chaque année. C'était aussi une victoire pour nous. À notre tour d'être des champions! Nous avions l'impression que notre énergie positive se rendait par miracle jusqu'à la glace du Forum de Montréal. Comme si on jouait un rôle déterminant dans leur victoire. C'est l'une des façons subtiles où je sentais la présence d'un égrégore, même si je n'y aurais pas pensé de cette façon à l'époque.

Au septième jour de la semaine, maman prenait le contrôle de la télévision et regardait *Les Beaux Dimanches*. Mais l'émission qui faisait l'unanimité était *Quelle famille!* Nous rêvions d'être une grande famille avec un beau grand frère comme Germain. L'émission traitait de plusieurs sujets tabous. Les cinq enfants vivaient la révolution tranquille et le *peace and love*. À la fin de chaque émission, un membre de la famille s'exclamait *Quelle famille!*

En revenant de l'école, je me précipitais avec ma collation pour regarder *Bobino*, et si j'avais de la chance, je pouvais aussi voir *Belle et Sébastien* avec ma sœur et on s'imaginait dans les bras de Sébastien. Trente ans plus tard, j'ai un chien qui ressemble à Belle, elle vient d'avoir treize ans. Et j'ai fait ma vie avec Martin au lieu de Sébastien!

LA TEMPÊTE

1971. Soirée orageuse de novembre. La nature faisait rage à l'extérieur. Les branches d'arbres frappaient contre la fenêtre comme pour dire: « Laissez-moi entrer! » Le lac avait l'air d'être sur le point de nous avaler entiers. Le tonnerre grondait, et la foudre éclatait comme si Dieu était en colère. Toutes les lumières de la maison s'étaient éteintes en même temps. Pas d'électricité. J'avais l'impression d'être dans une maison hantée. J'avais peur. J'ai pratiquement déboulé les marches pour aller retrouver mes parents dans le salon. Rapidement, mes deux grandes sœurs m'ont suivie. Mes parents ont gardé la tête froide et ont décidé d'un plan d'action. Maman a sorti les lampes de poche et les bougies. Sans électricité, la température de la maison chutait rapidement. Pour préserver la chaleur, maman a fermé les rideaux qui séparaient les deux salons, et papa a préparé un feu dans la cheminée. Je l'ai aidé en transformant le papier en boulettes, comme il me l'avait appris. J'étais fière d'être utile.

Maman a transformé le sofa en lit. Nous sommes allées chercher des draps et la grande couverture de laine beige de la Baie d'Hudson. Elle était piquante, mais c'était de loin la plus chaude. Nous n'avions rien d'autre pour nous distraire que le son de nos voix, qui étaient apaisantes d'une certaine manière. Maman me demandait d'essayer de dormir. Habituellement, je n'aimais pas l'heure du coucher, parce que je devais manquer la fin d'un épisode, ou d'un film, et que je me retrouvais seule à l'étage au-dessus. Mais cette fois-là, c'était différent. Je me sentais en sécurité entre mes deux grandes sœurs, et je me suis endormie en regardant le feu de papa qui faisait les plus beaux feux!

Ce moment spécial a brusquement pris fin lorsque les lumières se sont allumées, nous aveuglant, et que le ronronnement du réfrigérateur a repris. Papa m'a portée à mon lit. La tempête était terminée, tout comme notre aventure de camping au salon. Le lendemain matin, la routine reprenait.

Aujourd'hui, j'adore les tempêtes. Malheureusement, nous sommes rarement à court d'électricité. Rares sont les soirées de camping. Pourtant, chaque tempête me transporte dans ce salon avec ma famille. Quelque part, j'ai encore cinq ans, et un sentiment de doux bonheur me submerge!

NAMASTE

Un soir, quand je suis rentrée à la maison, j'ai traversé le salon et je me suis retrouvée devant papa allongé sur le sol, inanimé. J'ai paniqué et crié: « Mooooom! » Elle a couru hors de la cuisine et mon père a ressuscité sur-le-champ! Nous avons tous les trois presque eu une crise cardiaque - moi qui pensais que papa était mort, maman qui avait entendu mes cris, et papa plutôt en colère de revenir à la vie.

Pauvre papa. Il avait eu des problèmes cardiaques et explorait des moyens pour réduire son stress. Il avait beaucoup lu sur le yoga. Cette discipline était considérée comme plutôt « hippie » (ou « granola », comme on disait à l'époque), alors il pratiquait discrètement, en privé. C'était loin du style de sa génération, mais papa était curieux et toujours à la recherche de solutions. Ce jour-là, comme la maison était vide, il avait décidé de pratiquer la pose du Savasana, également connue sous le nom de posture du cadavre. Il l'a si bien effectuée que je me suis fait prendre au jeu.

Aujourd'hui, pour calmer mes nerfs, je marche dans ses traces. Parfois, c'est à travers des cours de méditation en mouvement comme le tai-chi et le Qi Gong, et d'autres fois, c'est avec le yoga, mais je m'assure toujours qu'il n'y aura pas d'interruption ou de visiteurs inattendus!

LE POTAGER

Été 1970. J'avais sept ans. Quand je rentrais de l'école, maman me demandait de l'aide pour travailler dans le jardin, sur le terrain en avant de la maison. Arracher les mauvaises herbes était fastidieux et pas mon activité préférée, mais quand maman demandait, je n'avais pas d'autre choix que d'obéir. À genoux dans le potager, j'arrachais les mauvaises herbes avec elle, puis je plantais des graines, et quelque temps plus tard, je découvrais des fraises, des concombres et des légumes de toutes sortes que je m'amusais à cueillir, parfois pour le dîner et parfois juste pour moi! Je coupais souvent une tige de ciboulette et prétendais que j'avais une cigarette dans la bouche comme un adulte, sauf que je finissais par la manger.

En hiver, notre potager se transformait en patinoire. Ma sœur Jo avait un talent inné pour le patinage sur glace. À la regarder, elle semblait au sommet du monde! Elle faisait des pirouettes et des acrobaties pour nous éblouir. Ma sœur

Carole et moi étions amusées et admiratives. Nous n'avions pas son don.

Mes sœurs ont grandi, ma mère a vieilli, le grand potager est devenu plus petit et a ensuite disparu. Les fruits et légumes ont cédé leur place à une nouvelle étendue de pelouse. Toujours vivant dans nos mémoires, Carole, Jo et moi le ressuscitons, chacune à notre façon dans un petit coin de nos terrains respectifs pour retrouver le bonheur et l'odeur d'un fruit, d'un légume ou d'une herbe fraîche!

LE QUARTIER

Le quartier était composé de toutes sortes de maisons – petites et grandes, vieux chalets et nouvelles maisons... Ce qui composait l'identité du quartier n'était pas vraiment l'architecture de ses maisons, mais la joie de vivre des enfants qui y habitaient!

Aujourd'hui, j'entretiens l'amitié avec mes voisins. Nous ne jouons pas à la corde ensemble, mais nous mangeons, rions et dansons ensemble. Nous vivons dans une société différente aujourd'hui, et les gens s'excusent parfois d'être venus à l'improviste. Mais j'adore ça, parce que j'ai l'impression d'avoir dix ans à nouveau, et des amis qui me demandent de venir jouer avec eux. À l'époque, nous n'avions pas de téléphone cellulaire, alors nous nous présentions simplement chez nos amis pour voir s'ils voulaient jouer. Je suppose que maintenant, on s'attend à ce que quelqu'un envoie un message électronique pour annoncer sa venue. Mais j'apprécie la visite inattendue d'un voisin qui vient juste pour passer du temps et prendre des nouvelles.

Quand j'étais enfant, personne ne verrouillait ses portes. Il y avait moins d'anxiété à l'égard des enfants qui se faisaient enlever. On ne leur demandait pas de porter un casque lorsqu'ils faisaient du vélo. C'était une période de grande liberté.

Un de mes amis voisins, quand j'étais ado, s'appelait Rich. Une bonne journée, alors que je faisais nouvellement partie de son groupe d'amis – tous des voisins –, ceux-ci décidèrent qu'une visite chez lui serait à l'agenda. Tous les garçons étaient bien excités à l'idée que Rich venait d'acquérir un nouveau set de batterie. Comme je ne partageais pas le même enthousiasme, je me suis mise à reluquer sa collection de vinyles. J'ai trouvé de nombreux disques que je connaissais et aimais, mais je suis ensuite tombée sur un disque jaune que je n'avais jamais vu auparavant. Genesis… J'écoutais souvent leur chanson *Follow You, Follow Me* mais rien de plus. Rich a été surpris que je ne les connaisse pas, alors il a demandé à tout le monde d'arrêter de jouer de la batterie et il a mis l'album *A Trick of the Tail* sur la table tournante. Et c'est à ce moment-là que je suis tombée amoureuse de ce groupe. J'ai acheté l'album le lendemain. Il a joué dans ma chambre encore et encore. Chaque fois que j'avais une fête, *Ripples* était toujours sur la liste de lecture. De nombreuses années plus tard, j'ai perdu le contact avec Rich, mais je pense encore à lui chaque fois que j'écoute Genesis, et je suis reconnaissante qu'il me les ait présentés. Vive les visites chez les voisins!

QUITTER LA MAISON

J'ai vraiment eu une enfance idyllique, mais j'étais encore trop jeune pour m'en rendre compte. Je rêvais de fuir la campagne et de vivre le buzz de la ville. J'ai essayé de convaincre mon père d'abandonner les grands espaces pour déménager au centre de l'action où les nuits sont plus longues et la population plus abondante. Convaincu que les gens vivaient plus vieux dans les zones rurales, il n'a même pas eu une once de tentation. Mon attirance envers cet autre monde le laissait indifférent. Vivre vieux? J'avais dix-sept ans, et toute la vie devant moi. Je ne me rendais pas compte de l'importance de ses paroles. Encore une fois, il avait raison. Il a survécu à toute sa famille et à ses amis, de plusieurs années. Était-ce le calme de l'endroit qui l'entourait ou le résultat du hasard? Je suis encline à croire que c'était un bon mélange des deux!

Quand j'ai quitté, j'ai finalement vécu au cœur du centre-ville de Montréal sur la rue Sherbrooke, dans un appartement qui me donnait l'impression d'être à New York. J'adorais ça, mais pour être honnête, j'étais tellement habituée à une maison spacieuse que je me sentais parfois étouffée. Heureusement, il y avait les appels de mon père.

Pendant que ma mère prenait congé pour vaquer à de nouveaux intérêts, mon père, maintenant à la retraite, celui qui ne savait même pas comment faire cuire un œuf avait commencé à suivre des cours de cuisine. Ma théorie était qu'il utilisait la cuisine comme appât pour m'attirer à la maison. Et ça marchait! J'étais bien dans la frénésie urbaine, mais quand je me retrouvais dans la maison de mon enfance, c'était comme une évasion dans un autre monde. Quand mon père m'invitait, je me mettais souvent en route quelques minutes après son appel!

MON MARIAGE

Août 2002. Je me suis mariée dans la maison où j'ai grandi. Pour des raisons sentimentales et pour les beaux paysages, je n'ai jamais voulu me marier ailleurs. C'était une belle façon d'immortaliser ma maison d'enfance dans ma mémoire, tout comme ma sœur aînée l'avait fait presque vingt ans plus tôt pour son propre mariage.

Il y avait une autre raison pour laquelle je voulais me marier ici. J'avais l'impression que mes parents ne garderaient pas la maison encore très longtemps. Papa parlait de plus en plus des offres qu'il recevait. Il était flatté, mais ne pensait pas vendre pour l'instant. Mais j'avais quand même l'impression qu'il envisageait sérieusement l'idée.

Ma chanson thème de mariage était une chanson peu connue d'Aznavour, *Ma main a besoin de ta main*, à cause des paroles, bien sûr, et surtout parce que c'est dans ces lieux que la musique d'Aznavour a habité mon enfance.

C'était une radieuse journée d'été. De la pluie était prévue, mais, comme par magie, les averses n'ont commencé que lorsque le dernier invité, mon ami Paul, est parti à deux heures du matin. Je n'aurais pas pu demander une plus belle journée, ayant rassemblé toutes les personnes que je chérissais dans l'endroit que j'aimais le plus. C'était le meilleur cadeau que la providence pouvait me faire!

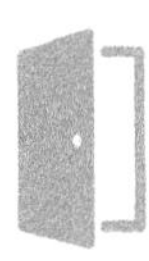

LE DÉPART

Janvier 2003. Papa voulait passer le reste de ses jours à la maison, mais maman voulait déménager en condo. Elle en avait assez de vivre dans une maison pleine de souvenirs, avec trop de pièces vides et pas assez de vie. Elle voulait passer à un nouveau chapitre de son histoire. Mes sœurs et moi ne la comprenions pas vraiment.

« Pourquoi veux-tu déménager? C'est beau ici. Les couchers de soleil, le lac … » , lui ai-je demandé un jour.

« J'ai l'impression de rester dans une maison avec des fantômes, a-t-elle répondu. Je passe devant ta chambre et les chambres de tes sœurs, et vous n'êtes plus là. Vous vivez votre propre vie maintenant. Je veux vivre la mienne. »

Je pouvais sentir l'émotion dans sa voix. Tout d'un coup, j'ai compris.

Mes sœurs et moi ne vivions plus ici, mais nous voulions que nos parents gardent la maison. Comme c'était égoïste de notre part, quand on y pense! Sans doute notre manière de conserver nos souvenirs d'enfance. Maman était fatiguée, et nous refusions de le voir. Papa commençait à devenir fragile. Maman avait peur mais n'en parlait pas.

Après cet échange, j'ai compris. J'ai compris qu'il était temps pour moi de laisser aller le passé et de faire confiance au présent et à l'avenir, et surtout il était temps pour moi d'aider mes parents dans ce nouveau chapitre, dans cette transition. (Surtout trouver une façon de convaincre papa.)

Nous avons visité des condos et découvert qu'il y avait d'autres beaux endroits où vivre. Ils ont trouvé une place, s'y sont installés et la vie a continué.

TOURNER LA PAGE

10 mai 2003, 15h01. Le camion de déménagement a tourné le coin, et je l'ai suivi quelques minutes plus tard.

En quelques secondes, j'ai revu les printemps, les automnes, les hivers et les étés que j'ai vécus dans cette maison, ainsi que les naissances, les joies, les chagrins, les petites et grandes célébrations.

Une maison d'enfance pour moi est comme un premier amour. Nous ne pouvons jamais le revivre, et nous devons laisser de la place pour d'autres amours, de nouveaux rêves, de nouvelles aventures.

J'ai essayé de m'imaginer la garder et y vivre, mais je me suis vite rendu compte que son charme dépendait de la présence et de la chaleur de mes parents. Sans eux, ce n'était qu'une maison comme n'importe quelle autre maison avec quatre murs et du gazon.

Leur présence en a fait un endroit où on voulait être.

Chaque maison a sa propre histoire. Celle-ci était unique. Elle a tiré son âme, son essence, de Jean et Gisèle. C'est la raison pour laquelle j'aurai le 32 à jamais tatoué sur le cœur.

VINGT ANS PLUS TARD

Aujourd'hui, la maison est démolie, la piscine est enterrée, l'adresse n'existe plus. La maison a disparu, tout comme mes parents, mais la magie de la vie et de mon histoire est toujours présente.

Mon mari est le pro du barbecue, et j'essaie de recréer les recettes de ma mère. Pour des occasions spéciales, je concocte le dessert à la guimauve de mon père, que nous avons adoré, appelé bouchées de guimauve. C'était son appât pour nous attirer! Ma théorie est que mon père rêvait d'être une maman italienne qui parvient, grâce à sa bonne nourriture, à garder sa famille toujours unie et proche. (Ce qui est drôle, c'est que lorsque j'ai passé un test d'ADN, cela indiquait que j'étais italienne à 7,4 pour cent. J'en suis très fière! Ce n'est pas beaucoup, mais je vais le prendre!)

Papa doit être fier, car aujourd'hui les réunions de famille se perpétuent, toujours autour d'un bon repas à la même grande table à manger de mon enfance. La même table où, enfant, j'essayais d'étirer ma petite jambe pour sonner la cloche afin de faire rire toute la famille. La différence est qu'aujourd'hui, mes jambes sont plus longues, les cloches ne sont plus là, et je suis celle qui est assise au bout, à la place de maman, mon mari à l'autre extrémité, à la place de papa.

J'ai eu ma première maison, mon premier chalet… Mon ensemble de critères est basé sur ce premier amour. Où que j'aille, je dois avoir de l'eau, de vieux grands arbres, des voisins sympathiques, beaucoup d'espaces verts et une fenêtre à côté de mon lit à travers laquelle je peux regarder avant de m'endormir ainsi qu'à mon réveil.

La vieille maison est un symbole. La douleur s'estompe. La vie, l'amour, les amis, la famille, tout change, se transforme… Nous créons de nouveaux souvenirs et nous continuons notre histoire.

ET VOUS?

Avez-vous déjà eu à dire au revoir à la maison de votre enfance? Quelle sensation avez-vous ressentie? Fermez les yeux et faites une carte mentale de cette maison. Imaginez-vous marcher dans chaque pièce. Quel a été votre souvenir le plus heureux? Quelle était votre pièce préférée? Quelles odeurs émanaient de la cuisine? À quels jeux avez-vous joué? Avez-vous perpétué des traditions? Qu'est-ce que votre maison actuelle a en commun avec la maison de votre enfance?

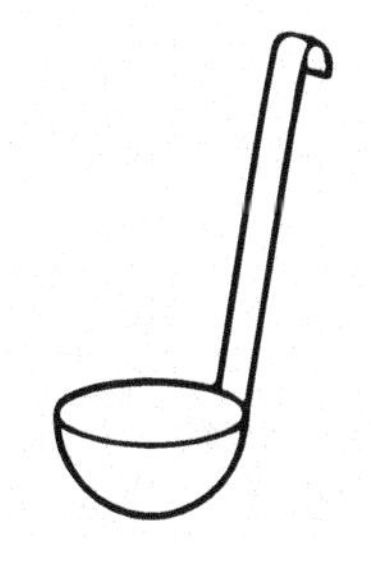

CHAPITRE 7

LA LOUCHE D'AMOUR

Cuisiner c'est rendre l'amour visible.

—Anonyme

BANDE SONORE

Des croissants de soleil • GINETTE RENO
Le petit pain au chocolat • JOE DASSIN
Mambo Italiano • DEAN MARTIN
All That Meat and Potatoes • LOUIS ARMSTRONG
Coconut Christmas • THE LOST FINGERS
Café corsé • BLEU JEANS BLEU
Love Is • ADAM COHEN
Sur ma vie • CHARLES AZNAVOUR
Jardin d'hiver • HENRI SALVADOR
Le frigidaire • TEX LECOR
La bohème • CHARLES AZNAVOUR
T'es belle • JEAN-PIERRE FERLAND
Le p'tit bonheur • FÉLIX LECLERC
La vie en rose • ÉDITH PIAF

Je me demande parfois quels objets les gens gardent de leurs parents.

C'était une froide journée d'octobre, et mon mari, mon fils et moi, pouvions tous sentir que l'hiver était à notre porte. Je me demandais quoi cuisiner pour le dîner. J'entendais les mots « soupe » et « nourriture réconfortante », qui me titillaient.

J'avais utilisé les dernières herbes et légumes issus de mon jardin, carottes et tomates cerises. Tout comme ma mère cuisinait une soupe *vide-frigo*, j'ai décidé de cuisiner une soupe vide-jardin et frigo. J'ai commencé avec mes herbes – romarin, thym citron, ciboulette, sauge, un peu de menthe – et je les ai toutes ajoutées dans mon bouillon de poulet biologique mélangé avec un peu d'épinards et d'endives. Avec un peu de sel à base de plantes, de poivre et de citron, il avait bon goût. Il était temps de servir!

J'ai sorti ma louche à soupe préférée. L'un des rares objets qui appartenait à ma mère. C'est drôle les choses que nous gardons des gens que nous aimons. Cela vaut probablement cinq cents sur le marché, mais pour moi, cette louche n'a pas de prix. C'est mon plus beau rappel de la façon dont ma mère a bien pris soin de nous à travers sa cuisine. Lorsque nous étions malades, quand elle avait besoin de vider le réfrigérateur, ou les jours froids d'octobre, sa recette de prédilection était toujours de faire de la soupe pour nous réconforter.

Les repas qu'elle préparait n'étaient pas hors de l'ordinaire à cette époque au Québec, mais ma mère ajoutait toujours des touches intéressantes dans ses plats. Son rôti de bœuf était recouvert de moutarde de Dijon et était accompagné dans nos assiettes de sauce béarnaise, de petits pois verts cuits dans une crème riche avec des oignons, de carottes tranchées dans du beurre à l'ail et de purée de pommes de terre avec du lait, de la crème, du beurre et des oignons. Bon, pas tous les jours, mais ce repas d'occasions spéciales m'est resté dans la tête.

Lorsque maman cuisinait, elle commençait souvent avec un livre de recettes, mais ne suivait pas les indications tout au long. Elle avait un bon instinct culinaire. Elle voyait quelque chose qui manquait dans la recette et ajoutait un ingrédient, comme de l'ail, de nouvelles épices…

À cette époque, la religion était omniprésente, ce qui expliquait que beaucoup de livres de recettes étaient écrits par des religieuses. Elles ont également animé beaucoup d'émissions sur le sujet à la télévision.

Ma mère était soucieuse de sa santé avant que les jus verts soient à la mode. Le matin, elle me préparait parfois du gruau, ce que je détestais. Une fois, mon père a regardé dans mon bol et a dit: « Erk! du gruau! Ça c'est pas bon! Je me souviens d'avoir mangé cela quand j'étais dans l'armée. C'est comme manger de la colle! Jamais plus pour moi! Enfin! Passez une bonne journée. » Et il est parti, laissant ma mère en chute libre avec son déjeuner. Elle m'a suggéré d'ajouter de la cassonade sur le dessus pour le rendre plus agréable au goût.

À travers la nourriture, ma mère montrait son amour et sa passion. Malheureusement, au fil des décennies, la société accordait de moins en moins d'importance au rôle des mères à la maison, au profit de celui des femmes en milieu de travail. Par conséquent, ma mère, comme beaucoup de femmes de sa génération, semblait parfois mal à l'aise par le fait d'être une femme au foyer. C'est tellement malheureux parce que je me souviens d'elle comme de la personne la plus importante de la maison. Sans elle, on perdait l'équilibre. Mon père n'aurait probablement pas eu la chance d'être un entrepreneur – et de venger son père! –, et il n'aurait certainement pas vécu aussi longtemps, tandis que mes sœurs et moi aurions eu une tout autre vie familiale.

Plus la maison était pleine, plus on était heureux. Lors des grandes fêtes, on pouvait se retrouver avec une trentaine d'invités. Maman nourrissait tout le monde en déposant les fruits de son travail sur la table dans un style buffet qui lui valait bien des compliments. À Pâques, jambon avec sirop d'érable et ananas. À l'Action de grâce et à Noël, dinde avec sauce et incroyable farce de pommes de terre en purée.

La cuisine de ma mère m'a permis de traverser toutes sortes de moments, les bons comme les moins bons. Au retour de l'école, c'était notre premier arrêt. Nous prenions de la nourriture sur le chemin en direction du salon pour regarder la télévision. Le congélateur était souvent rempli de sauce à spaghetti, de cretons, et de lasagnes végétariennes (et à la viande), de confitures de toutes sortes, et de compote de pommes… Dans l'armoire, sur l'étage du bas, on trouvait son ketchup fait maison et ses concombres marinés. Tout était fait maison, avec amour.

Gaspiller de la nourriture était impensable à cette époque. S'il y avait des restes, nous les avions en sandwichs le lendemain.

Si des légumes étaient défraîchis, ils étaient ressuscités dans une soupe le soir. Si une carotte ou du céleri perdaient de leur « virilité », ils se retrouvaient dans un verre d'eau au frigo et retrouvaient une meilleure allure le lendemain. Si une pomme était brune d'un côté, maman la coupait de sa laideur et nous offrait l'autre moitié. Vraiment, elle connaissait tous les trucs. Elle aurait pu faire des Instagram Live aujourd'hui et connaîtrait un succès monstre!

Comme je vous disais, quand j'ai ramassé cette louche, alors que je préparais une belle soupe pour réchauffer le cœur de ma famille, je me suis rappelée que même si maman était partie depuis plus de douze ans, j'honorais toujours sa mémoire (parfois inconsciemment) en préparant le souper tous les soirs. C'était une façon pour moi de montrer mon amour, comme ma mère l'avait fait pour nous.

ET VOUS?

Quelle est l'importance de la nourriture dans votre famille? Pour vos amis? Que considérez-vous comme votre meilleure recette réconfortante? Quel plat vous rappelle vos parents? Y a-t-il un objet qui signifie beaucoup pour vous et qui appartient à vos parents?

CHAPITRE 8

MA MARY POPPINS

Les adultes ne sont que des enfants qui ont grandi.

—Walt Disney

BANDE SONORE

Supercalifragilisticexpialidocious • JULIE ANDREWS
A Spoonful of Sugar • JULIE ANDREWS
I Love to Laugh • JULIE ANDREWS
Jolly Holiday • DICK VAN DYKE ET JULIE ANDREWS
Stay Awake • JULIE ANDREWS

L'autre jour, je suis allée chez mon nettoyeur à sec préféré. Le propriétaire est un bon gars, vraiment sympathique. Il se souvient de mon nom, discute avec moi, et tout ce que je lui apporte revient pratiquement neuf. Mieux encore, il est le seul de ma région à être respectueux de l'environnement. Nous causons souvent quand je reprends mes vêtements. En ces temps de pandémie, ça fait du bien de socialiser. En discutant de tout et de rien, il me dit enfin son nom de famille et où il vit, et nous nous rendons compte qu'il est le petit neveu de ma gardienne préférée d'il y a très, très longtemps. C'est vraiment un petit monde!

Sur le chemin du retour, j'ai commencé à penser à cette gardienne. Les souvenirs d'elle étaient cachés dans un tiroir oublié dans ma tête. Je repense souvent à l'époque où mon fils était petit ou même à mon adolescence, mais quand je pense à mon enfance, elle semble si loin que j'ai l'impression que c'est dans une autre vie, comme dans un rêve ou une autre dimension! J'ai commencé à sourire…

Dans les années soixante-dix, papa travaillait comme un fou. Maman gérait la maison, les trois enfants, les deux chats, les deux chiens, les poissons et les défis sporadiques mais surtout le stress de mon père quand il rentrait à la maison. (À ce stade, il avait déjà eu une crise cardiaque, et elle voulait le garder en bonne santé pendant longtemps.) Son travail consistait à maintenir l'équilibre et le bonheur au foyer. Elle en avait plein les bras, et rêvait d'avoir de l'aide pour pouvoir respirer.

Un jour, elle avait engagé une femme de ménage, madame Nadon. Âgée d'une soixantaine d'années, madame Nadon n'était pas grande. Elle avait les cheveux noirs courts, les yeux bruns, et ses lèvres étaient rouges ainsi que ses ongles. Elle pouvait être stricte, mais elle avait un cœur d'or et un fort sens des responsabilités. Elle était efficace, droite, et elle est vite devenue indespensable, une sorte de « femme de confiance ». Toute la famille l'aimait. C'était une très bonne personne, honnête et attachante. D'une certaine manière, elle était comme ma grand-mère adoptive.

Je me souviens d'un premier avril, elle m'aidait à mettre mon manteau, disant que je devais me dépêcher pour ne pas manquer l'autobus. Une fois arrivée à l'école, j'ai trouvé un poisson en papier collé derrière mon dos. J'avais trouvé cela très drôle. J'avais hâte de rentrer à la maison pour me *venger*. Elle a fait semblant qu'elle ne me voyait pas, c'était mon tour de lui coller un poisson dans le dos, et elle a ri avec moi. Elle était jeune de cœur. Je l'adorais.

Quand mes parents sortaient, c'était elle qui s'occupait de moi. Elle me préparait mon souper et mon dessert préféré: son pouding chômeur. Quel délice!

Le bonheur quand on est enfant, c'est de trouver un adulte qui se donne la peine de jouer avec nous. Elle m'apprenait souvent de nouveaux jeux: les *chinese checkers*, les dames et de nombreux jeux de cartes. L'un de mes préférés était la bataille. Un jour, elle a ramené à la maison une grande planche de bois carrée. Son fils y avait fait des trous, et elle avait peint un cœur, un trèfle, un carreau et un pique. C'était un cadeau qui m'avait touchée droit au cœur. Parfois, on jouait simplement en tête-à-tête. D'autres fois, mes sœurs se joignaient à nous. Les fous rires étaient toujours au rendez-vous!

Elle venait chaque semaine pour aider aux tâches ménagères. Parfois, quand j'arrivais de l'école, je rencontrais son mari dans sa voiture. Patiemment, il l'attendait en revenant de son quart de travail en tant que chauffeur de taxi. Il discutait avec moi et m'offrait toujours un paquet de gommes Chiclets, de sa montagne qu'il gardait en réserve. C'était de petits paquets avec deux morceaux de gomme à l'intérieur. Chaque fois, je priais pour qu'il en ait encore des rouges, ceux à la cerise, c'était les meilleurs. Quand j'étais malchanceuse, il ne restait que les insipides jaunes. Cela signifiait généralement que ma sœur s'était présentée avant moi!

Un jour, mes parents nous ont laissé aux bons soins de madame Nadon. Mes sœurs sont allées voir leurs amies et sont rentrées à la maison pour dîner. Le soir venu, nous sommes toutes allées dans nos chambres pour mettre nos pyjamas et nos robes de chambre afin de pouvoir regarder la télévision plus longtemps. La chance était de mon côté, j'étais plus rapide que ma sœur aînée Carole. J'ai rapidement couru jusqu'en haut de l'escalier, mis mon pyjama et je me suis cachée dans sa garde-robe, entre ses vêtements de couleur terre très à la mode, avec des fleurs et des signes de paix (ma sœur était un peu hippie). C'était difficile de rester silencieuse parce que j'avais peur de l'obscurité, et aussi parce que je voulais vraiment rire. J'ai réussi à me retenir pendant quelques secondes. Carole a ouvert la porte de sa garde-robe, et j'ai crié: « Boo! » Elle a crié à son tour, et je me suis roulée au sol en riant. Tellement fière de moi, j'avais réussi. Moi, La Puce, celle qui avait huit ans de moins, j'ai réussi à surprendre ma grande sœur! Alors que j'étais telllllement fière de moi, ma sœur, elle, ne l'était pas vraiment. Je ne comprenais pas. Je pensais qu'elle trouverait ça drôle. Jo, mon autre sœur, trouvait cela aussi très drôle. Carole était furieuse. Elle avait l'air de vouloir m'arracher la tête. Heureusement, madame Nadon est accourue, j'étais sauvée. Pauvre madame Nadon, elle a failli avoir une crise cardiaque quand elle a entendu ma sœur crier.

Quelques jours plus tard, lors d'une autre soirée tranquille, madame Nadon était dans la salle de couture (où se trouvait la machine à coudre de maman et où nous avions l'habitude de faire nos devoirs)… C'est l'heure du pyjama. Je monte les marches, je me brosse les dents dans la salle de bain rouge et je me dirige vers ma petite chambre jaune. Je me change, je fais trois pas vers ma petite garde-robe, qui est à peine aussi haute que moi (et je suis alors assez petite moi-même). Maintenant, gardez à l'esprit qu'à cette époque j'ai peur des monstres, me demandant souvent s'ils existent. Évidemment, je pense à eux surtout le soir, quand il fait noir. Je me dis que s'ils se cachent quelque part, j'ai le choix, ce sera soit dans ma garde-robe, soit sous mon lit. J'ouvre donc nerveusement mon placard. J'ai à peine touché la poignée que la porte s'ouvre, et un monstre apparaît devant moi. Je crie ma vie! Mon cœur bat à pleine vitesse! Le monstre commence à rire à haute voix. Il est grand, a des longs cheveux blonds et se déplie devant moi. C'est Carole! Elle est très fière d'elle-même. Elle s'est vengée. Madame Nadon a failli avoir une deuxième crise cardiaque en quelques jours. Ensuite, elle est entrée dans ma chambre, et moi je lui ai sauté dans les bras. Elle m'a réconfortée. C'était beaucoup plus drôle quand c'était moi qui sortait de la garde-robe!

BATMAN

C'était une journée d'été ensoleillée et chaude, et mes parents étaient partis pour la semaine, nous laissant encore une fois aux soins de madame Nadon. Il faisait nuit, et tout le monde dormait. Tout d'un coup, j'entends des bruits, des cris. Madame Nadon vient me chercher et m'ordonne de sortir avec mes deux sœurs, que je retrouve à l'écart loin sur le terrain. À moitié endormie, je ne comprends pas ce qui se passe. Nous observons notre gardienne entrer et sortir de la maison avec un balai. Joue-t-elle à la sorcière? Ma sœur m'explique qu'une chauve-souris est entrée dans la maison et que notre courageuse sauveuse essaie de la faire sortir, mais elle semble connaître des difficultés. La peur m'envahit, j'aimerais me tenir encore plus loin mais je vais tomber dans le lac. Sentant l'énergie de mes sœurs, je sais qu'elles ne sont guère plus courageuses. Heureusement, moi, étant petite, je pouvais me cacher entre les deux!

J'admire tellement madame Nadon; elle n'a peur de rien! Mais elle finit par s'avouer vaincue devant ces petites souris volantes. Elle appelle son fils, Yvan. Quelques minutes passent, il arrive et libère la maison des bestioles. Youhou! Nous aimons déjà beaucoup Yvan, mais là nous l'aimons encore plus! Il est beau, gentil, courageux… Et la cerise sur le sundae, c'est qu'il nous invite pour un tour de bateau le lendemain. Nous sommes retournées au lit comme si le rêve avait déjà commencé! La semaine suivante, notre Wonder Woman l'a passée à se reposer! S'occuper de nous n'est pas très relaxant!

Au fil des ans, j'avais de moins en moins besoin d'une gardienne. Le temps a passé. Elle est venue nous dire bonjour à quelques reprises. Elle a vu que je vieillissais, mais je n'ai pas vu qu'elle vieillissait aussi. Son mari est tombé malade et elle a pris soin de lui. Nous avons de moins en moins entendu parler d'elle, et un jour, plus rien.

Madame Nadon n'a pas été dans nos vies très longtemps, mais elle a été là pendant des années charnières. Lorsque vous êtes un jeune enfant, vous n'aimez pas particulièrement être loin de vos parents. Mais avec elle, je me sentais en sécurité, je me sentais aimée et protégée. J'ai passé de merveilleuses journées avec elle, et je pense qu'elle aussi.

Elle ne volait pas et ne chantait pas, elle n'était pas tout à fait Mary Poppins, mais presque!

La famille et les amis sont importants. Mais en un jour, dans une vie, il y a aussi d'autres personnes qui font une différence. La gardienne, le boulanger, le facteur, le nettoyeur…

Pendant la pandémie, nous ne pouvions pas voir nos familles ou nos amis, mais nous pouvions toujours rencontrer des gens qui font une différence dans nos vies.

Soit dit en passant, je ne sais pas où vous êtes aujourd'hui, madame Nadon, quelque part en haut. Je voulais simplement vous dire merci.

ET VOUS?

Avez-vous une gardienne que vous aimeriez remercier? Quelle personne de votre enfance a fait une différence dans votre vie? Vous êtes-vous déjà caché pour faire peur à un frère ou à une sœur? Si vous pouviez remercier un propriétaire de magasin local qui vous fait sourire, qui serait-ce? Avez-vous déjà joué des tours? Quel était votre jeu préféré quand vous étiez jeune?

CHAPITRE 9

NOTRE TRADITION DE SAINT-VALENTIN

Les traditions sont à l'homme ce que les racines sont à l'arbre.

—Carolin Philipps

BANDE SONORE

Le plus fort c'est mon père • LYNDA LEMAY
Because You Loved Me • CÉLINE DION
Parler à mon père • CÉLINE DION
Ma fille • ISABELLE BOULAY
Oh toi mon père • NICOLA CICCONE
Daughters • JOHN MAYER
Brown Eyed Girl • VAN MORRISON
My Father's Eyes • ERIC CLAPTON
Father's Eyes • AMY GRANT
Mon père à moi • GILBERT BÉCAUD
Mon père disait • JACQUES BREL
Les yeux de mon père • MICHEL SARDOU
Sur les épaules de mon père • ANGELINA
Dis papa • GEORGES GUÉTARY
À ma fille • CHARLES AZNAVOUR

C'est la Saint-Valentin de 1971. J'ai six ou peut-être sept ans. Je me réveille, le soleil illumine ma chambre jaune. Je suis hyper excitée. Hier, j'ai écrit mes petites cartes de Saint-Valentin pour les distribuer à tous mes amis. Carte, c'est un grand mot; ce sont des petits cœurs avec des petites phrases: « Veux-tu être mon valentin? » Je suis excitée, mais aussi un peu stressée; j'espère qu'ils vont dire oui! Surtout Benoît!

Je m'habille en vitesse, descends les escaliers. Tous les matins, avant de déjeuner, je m'asseois sur l'annuaire placé sur la chaise jaune pour me grandir et maman me fait des lulus. Mon *fun* durant la journée, c'est de les balancer de gauche à droite. Je mange vite mes céréales et je bois le jus fraîchement pressé que maman vient de me faire. Je me dépêche, j'ai hâte d'aller à l'école!

Je cours à l'entrée, enfile mes bottes chaudes mais laides, et pratiques car dedans je peux garder mes souliers. Je mets mon manteau une pièce « Ski-doo » jaune, pas très beau mais qui garde au chaud (de toute façon je n'ai pas le choix, c'est ma mère qui m'habille)! Pour la finition, elle m'emballe dans un foulard rouge qu'elle m'a tricoté, si long qu'il va de Montréal à Québec! Ainsi, je n'ai pas peur d'avoir froid pendant que je monte sur les bancs de neige pour jouer à la reine de la montagne!

Je suis en première année à la petite école du quartier. Je prends l'autobus tous les matins en face de l'église. Le chauffeur s'appelle monsieur Roy. Il vient aussi me reconduire à l'heure du lunch. Il est également propriétaire du Chalet. Le Chalet, c'est notre casse-croûte de quartier, un de nos endroits préférés. Quand maman n'est pas à la maison à l'heure du lunch, je saute de joie car je sais que je vais manger le meilleur hamburger et les meilleures frites, et que comme dessert, j'aurai un sac brun plein de bonbons à un sou! Pousser les portes orange du Chalet et prendre place sur un petit banc rouge sur lequel je tourne sur moi-même pour admirer un tableau rempli de bonbons, c'est ma définition du bonheur. Et c'est encore mieux quand j'ai un 25 cents pour jouer à la machine à boules!

Quelle chance! Hier j'y suis d'ailleurs allée et j'ai acheté des bonbons en forme de cœur. Ils viennent en jaune, blanc, rose, bleu… tous de couleur pastel avec un message écrit dessus, comme « Be mine », « XOXO » ou « Smile ». On les trouve seulement à la Saint-Valentin. J'ai hâte d'en offrir à mes amis.

J'arrive à l'école. En entrant, je vois une rangée de chopines sur le bord du mur. Je dois faire mon choix: jus d'orange, lait au chocolat ou limonade? Je choisis vite le lait au chocolat. Je cours m'asseoir à ma place. Le professeur installe la télé en avant de la classe. On va écouter *Les Oraliens* et *Les 100 tours de 100 tours*. J'adore ces deux émissions. J'ai presque de la peine quand elles se terminent. Les acteurs s'adressent directement à nous, ils nous voient et nous posent des questions, auxquelles on répond tous en chœur. Ensuite, madame Garneau, mon professeur que j'adore, nous fait faire un petit test, puis arrive la récré. Je distribue alors mes cartes et j'en reçois beaucoup. C'est agréable de savoir qu'on est aimé!

Tout le monde dans la classe, ou presque, sait que j'ai un *crush* sur Benoît, et j'apprends que c'est réciproque! On se fait des petits sourires et on échange des bouts de phrase et des regards, une autre source de bonheur.

À la récré du midi, des petits rigolos ont décidé que Benoît et moi allions nous embrasser. On nous kidnappe tous les deux, et tout d'un coup on se retrouve face à face, entourés de jeunes qui chahutent. Malaise… J'ai pas mal de caractère. Je suis même un peu garçon manqué… Je refuse, je me débats et je m'enfuis en courant. Je n'aime pas qu'on me force à faire des choses. J'ai sept ans. J'aime rêver à Benoît, échanger des sourires, des mots, des regards, mais de là à l'embrasser, eurk! Ce sont des choses d'adultes. Des fois, le rêve est plus attirant que le geste lui-même.

De retour en classe, je suis un peu triste. Je me demande si Benoît m'aimera encore. Il n'y a plus d'échange de sourires ou de regards. C'est compliqué, l'amour. La classe se termine. Je retourne à la maison. Dans l'autobus, je parle avec mon amie Lizanne. On projette de se voir ce week-end.

J'arrive à la maison. Je joue un peu dehors. Je fais un bonhomme de neige. J'ai froid. Je rentre. C'est l'heure des devoirs. Je travaille sur la table de cuisine pendant que maman prépare le souper.

Il est 18 h. J'entends la porte d'en avant. C'est papa. Je cours le rejoindre. Je l'embrasse. Je suis heureuse de le voir. Il a des cadeaux! Un pour chaque femme de la famille (il est notre seul homme). Quatre cœurs en velours rouge de Laura Secord, pleins de chocolats. Maman est chanceuse; elle en reçoit un très gros.

Après avoir pris place autour de la table, nous nous racontons nos journées. Et au dessert, nous avons enfin le droit d'ouvrir nos coeurs en chocolat. Ensuite, tout le monde s'installe sur le sofa devant la télé. Au programme: *The Sound of Music*, où le beau Friedrich me fera oublier Benoît momentanément.

Je m'assois sur les genoux de papa. Je suis tellement heureuse de mes chocolats. C'est notre tradition à chaque Saint-Valentin. Papa n'oublie jamais. Je m'endors sur lui. Je l'aime, je l'adore, c'est lui le seul homme de ma vie!

Papa n'est plus de ce monde, mais il y a toujours du chocolat. Comme Laura Secord existe depuis 1913, on peut penser que le père de mon père faisait peut-être la même chose pour ses enfants et sa femme. Trente ans plus tard, je continue la tradition, que j'ai un peu modifiée par contre. Chaque année, j'achète un cœur Laura Secord à mon fils, et à mon mari, j'offre une grande boîte de chocolats noirs de Daniel Gendron. Le meilleur au monde! Artisanal et fait au Québec; du bonheur en boîte.

Les goûts changent, mais les traditions demeurent importantes. Chaque fois que j'entre chez Laura Secord, j'ai l'impression d'être avec mon père. À chaque Saint-Valentin, quand je donne mes chocolats, je sens qu'il est encore avec moi, qu'il vit encore à travers moi. Peut-être qu'un jour mon fils deviendra à son tour l'idole de sa fille, le temps d'une vie. Le temps d'un chocolat.

ET VOUS?

Y a-t-il des traditions qui vous sont chères, à vous et à votre famille? Avez-vous déjà pensé à en adopter de nouvelles? Quelle est votre gâterie favorite? Quel est votre chocolat préféré?

CHAPITRE 10

LE CAMP

La nature est un professeur universel et sûr pour celui qui l'observe.

—Carlo Goldoni

BANDE SONORE

You've Got a Friend • JAMES TAYLOR
Suspicious Minds • ELVIS PRESLEY
Father and Son • YUSUF CAT STEVENS
Gone Gone Gone • PHILLIP PHILLIPS
Leaving on a Jet Plane • JOHN DENVER
Mrs. Robinson • SIMON AND GARFUNKEL
Tapestry • CAROLE KING
Jolene • DOLLY PARTON
Gypsy • FLEETWOOD MAC
Make it With You • BREAD
Your Song • ELTON JOHN
Blowin' in the Wind • BOB DYLAN
Ventura Highway • AMERICA
Listen to the Music • THE DOOBIE BROTHERS

21 juillet 1977, 8 h. Un beau matin d'été. J'embarque dans la voiture avec mes parents. La route va être longue. Je n'ai vraiment pas le goût. Je peine à retenir mes larmes. Je ne veux pas avoir l'air d'un bébé, alors j'essaie de me contrôler. Mon esprit tourne à toute vitesse; j'essaie de faire appel à ma créativité et à mon intelligence pour trouver une bonne raison pour convaincre mes parents de ne pas me reconduire dans un endroit aussi éloigné. Je n'aime pas l'idée d'être seule si loin, en pleine forêt avec des étrangers. Je crains qu'on me remplace et m'oublie! Mes parents étant aussi beaucoup plus vieux que la moyenne des parents, je vis par ailleurs souvent dans l'inquiétude qu'il leur arrive quelque chose.

Mon père veut que j'apprenne l'anglais. Je lui ai souvent répété qu'un jour je deviendrais femme d'affaires. Dans ces moments-là, il me répond: « Alors, tu devras parler la langue des affaires, l'anglais. » Mon père sait de quoi il parle, étant lui-même entrepreneur. Être bilingue est un atout. Il veut aussi que je vive d'autres expériences. Le dollar canadien est très fort, ce qui a permis à mes parents de m'inscrire dans un camp aux États-Unis. Le camp existe depuis 1922 et j'ai des cousines plus vieilles qui y sont allées. Ainsi, je m'initierai à différents sports et je sortirai de ma zone de confort, de mon « patelin ». Je ne suis pas d'accord, mais on ne m'écoute pas. C'était bien avant l'ère des enfants-rois!

Papa a une nouvelle voiture. C'est le grand luxe: la radio

vient avec un lecteur huit pistes. Ford nous a même fait cadeau d'une cassette: les meilleures chansons de l'année. Je demande à papa de la mettre. Maman ajuste le volume. C'est Elvis. Je regarde à l'extérieur, le paysage est si vert. Je m'évade et finis par m'endormir.

La voiture s'arrête et je me réveille en panique. Maman me demande si j'ai faim. Je réponds rarement non à cette question. Je saute hors de la voiture. On entre chez Howard Johnson's. C'est un grand restaurant familial avec un toit très orange, difficile à manquer. Il existe depuis 1954. Il y a des succursales partout. Je vois sur le menu pour enfants un macaroni au fromage. J'ai fait mon choix. Mais je suis un peu déçue. Pas grave, je me rattraperai avec le dessert. Pas moins de 28 saveurs de crème glacée sont offertes! Je demande à maman si je peux avoir un sundae. Elle me répond que oui. Je réalise que quitter la maison pour quelque temps a ses avantages. La vie est belle… jusqu'à ce que papa regarde sa montre et nous rappelle qu'on doit reprendre la route si on veut arriver à l'heure. Je mange encore plus lentement. Je rêve de manquer le rendez-vous. Malheureusement pour moi, papa n'est jamais en retard.

On arrive. J'ai une boule dans la gorge. Je dis au revoir à papa. Maman m'accompagne jusqu'à ma cabine. Tout le monde a l'air gentil, mais très occupé. Je visite les lieux. Il y a dix lits. Ils semblent tout aussi inconfortables les uns que les autres.

Une jeune femme nous aborde: « *You must be Elizabeth?* » Je me sens importante tout à coup. Quelqu'un vient d'interrompre le disque du « pauvre moi! » qui tournait dans ma tête depuis quelques heures. Elle a de grands yeux bleus, de belles joues rouges et un sourire attachant. Elle se présente: son nom est Connie, c'est une de mes deux monitrices. Elle se penche vers moi, me parle doucement et m'invite à rejoindre les autres membres de mon groupe. Je dis un au revoir rapide à maman, je suis triste, mais curieuse à la fois de rencontrer les autres filles. Il y a des participantes de partout. Maria est très gênée, ne parle pas anglais et vient du Mexique; Laura est aussi du Mexique; Rosa, du Venezuela, est une boule d'énergie; Christina, une beauté, vient également du Venezuela; Kathy et Judy, de New York; Vickie est du New Hampshire; Kim du Massachusetts; la très sportive Suzanne est de Montréal et, pour finir, moi. Le camp peut commencer!

7h15 le matin. Le réveil se fait au son du clairon. Nous traversons le camp en pyjama pour aller déjeuner dans la salle à manger, une grande cabane avec un haut plafond tout en bois. Je découvre la toast au sucre et cannelle ainsi que le sandwich au beurre d'arachide et confiture de fraises: j'adore! On chante des chansons et on joue à des jeux pour se souvenir des noms. Tout le monde a bien de la misère à prononcer mon nom de famille et celui de mes collègues espagnoles. Ça me fait souvent sourire. On retourne dans notre cabine, on fait notre lit, on s'habille et on se prépare pour nos activités.

Je commence la journée avec le cours de natation. Un cours que je n'apprécie pas particulièrement. L'eau du lac est glaciale, pas nécessairement claire et il y a des sangsues. Pendant que la monitrice nous prodigue des explications, j'imagine qu'un barracuda prend une bonne bouchée de ma jambe. Heureusement, je survis et réussis les tests pour obtenir mon badge de natation. Prochain cours: tir à l'arc. J'aime beaucoup, car à ma grande surprise, je vise dans le mille. Je ne sais pas comment je réussis ça, mais j'aime ce sentiment de gagner!

Ensuite, l'équitation. Je suis bonne, mais la professeure est plutôt sévère. J'ai hâte au cours de ski nautique. Je me sens libre, les cheveux au vent. Je me concentre très fort pour ne pas tomber. L'image du barracuda est encore présente dans mon esprit. J'adore le cours d'*arts and crafts*. On y fait souvent des bracelets, mais aussi des œuvres d'art, grâce à une feuille d'érable, des crayons de cire Crayola, du papier parchemin et un fer à repasser!

Plus tard, nous soupons et profitons des activités sur le bord du feu. Tout le monde est assis par terre. Nous jouons à des jeux en groupe. Mes nouvelles amies me font des lettres à deviner dans le dos, les monitrices présentent des spectacles (un peu comme on voit au Club Med, mais avec moins de budget!) et ma partie préférée, c'est quand Michelle joue du piano et que nous chantons tous en chœur. Les voix, le feu, le bois, les sourires… C'est magique. Je découvre Cat Stevens et son *Father and Son*, John Denver et *Take Me Home*. J'aimerais ne jamais quitter cet endroit. Ensuite, dans le noir, nous marchons avec nos lampes de poche pour retourner dans nos cabines respectives. C'est l'heure de dormir.

On se fera réveiller en pleine nuit par des chants de Noël! Au début, je pense que je rêve, car il fait chaud et que c'est l'été. Et voilà qu'on fête *Noël en juillet*! Des monitrices chantent en tenant des chandelles. C'est beau. Sur le coup, avec la chaleur et le décor estival, je trouve cela bizarre, mais je deviens vite charmée.

Il y a malgré tout des jours où je m'ennuie désespérément de la maison, d'une douche chaude, d'une piscine bleue (sans sangsue) et de ma famille et mes amis. Heureusement, je me console avec les lettres de mes proches. Les mots bienveillants de maman écrits sur du beau papier, une carte Hallmark humoristique de papa ou les dernières nouvelles de mes deux meilleures amies.

Un certain 16 août, alors que je me changeais rapidement pour une activité, j'ai entendu des jeunes filles pleurer. J'ai senti que quelque chose de gros venait d'arriver. C'est alors qu'une campeuse s'est précipitée vers moi: « Elizabeth, as-tu entendu? » « Non, quoi? » « Elvis est mort. » « C'est une joke? » Je ne la croyais pas. Ce n'était pas possible. Il était toujours partout: à la télé, dans des films, des spectacles, dans les magazines. Il était plus grand que nature. J'ai été envahie de tristesse.

Le mois a passé. Mes amis m'ont fait des dédicaces sur des bouts de papier. Ma famille est venue me chercher. Je les ai accueillis à bras ouverts. On a parlé tout le long dans la voiture, moi à raconter mon été, et eux à me dire ce que j'avais manqué. J'étais heureuse de retrouver ma maison, mes amies, ma routine.

C'est grâce à ce camp et à la décision de mes parents de m'y envoyer qu'une certaine partie de moi a été transformée. Oui, j'ai perfectionné mon anglais, que j'utilise toujours aujourd'hui, mais j'ai appris beaucoup plus. La distance nous fait apprécier bien des choses. La plus grande leçon, c'est que je pouvais survivre seule sans mes parents, sans mes sœurs, sans tout ce qui m'était familier. Devoir aller faire pipi dans une bécosse en pleine forêt te fait vite réaliser ta chance d'avoir une toilette et une douche chaude à la maison. J'ai réalisé tout ce que je tenais pour acquis. Je ne me suis pas fait manger par un barracuda, je n'ai pas manqué de grandes célébrations à la maison, je n'aurais jamais dû perdre autant de temps à m'inquiéter et m'ennuyer.

J'ai vieilli, je suis devenue parent à mon tour. Mais au fond, je suis encore cet enfant qui, chaque été, souhaite revivre l'été 1977. Oui, le camp m'a fait apprécier la nature, le bonheur dans la simplicité.

J'ai compris qu'on pouvait quitter pour mieux revenir. Alors, un jour, je suis partie pour Lowestoft, un autre jour, pour Barcelone, et pour de nombreuses autres destinations, d'autres aventures… toute seule.

Mon père était un homme protecteur, très sensible pour ce qui concernait ses filles. Quand il est resté dans la voiture au camp, j'ai interprété cela comme de la froideur. Mais il cachait ses sentiments pour mieux me laisser aller.

Ma mère, qui était la typique femme au foyer, était considérée comme fragile. Pourtant, à ces moments-là, elle était la plus forte, même si elle aussi à l'intérieur était très émotive. Mais il fallait « garder la face », comme on disait.

Pas facile de laisser aller nos enfants, mais ça fait partie de la mission parentale.

ET VOUS?

Y a-t-il quelque chose que vos parents ont fait quand vous étiez enfant que vous n'aimiez pas et qu'à présent, avec le recul, vous appréciez et comprenez? Vous souvenez-vous d'une époque où vous avez fait semblant d'être fort? Quel souvenir heureux gardez-vous d'un camp de vacances, loin de chez vous, de vos repères?

CHAPITRE 11

LOWESTOFT: LOIN DE MA ZONE DE CONFORT

C'est drôle de revenir à la maison. Rien n'a changé.
Tout se ressemble, la même odeur, le même décor…
Vous réalisez que ce qui a changé, c'est vous.

—F. Scott Fitzgerald

BANDE SONORE

Je vole • LOUANE
Could You Be Loved • BOB MARLEY
Let My Love Open the Door • PETE TOWNSHEND
Call Me • BLONDIE
Last Train to London • ELECTRIC LIGHT ORCHESTRA
Englishman in New York • STING
Don't Stand So Close to Me • THE POLICE
Ashes to Ashes • DAVID BOWIE
Another One Bites the Dust • QUEEN
Games Without Frontiers • PETER GABRIEL
All Out of Love • AIR SUPPLY
Whip it • DEVO
Shining Star • THE MANHATTANS
Celebration • KOOL & THE GANG
Late in the Evening • PAUL SIMON
Into the Night • BENNY MARDONES
Xanadu • OLIVIA NEWTON-JOHN
Hey Nineteen • STEELY DAN
Rapper's Delight • THE SUGARHILL GANG
Hello • LIONEL RITCHIE

Vendredi soir. Je regarde l'une de mes séries préférées sur Netflix, l'émission britannique *Sex Education*. Soudain, mon mari remarque un détail intéressant dans une scène: un autobus, avec sa destination indiquant « Lowestoft ». Je suis soudainement envahie par des *flashbacks* heureux d'il y a longtemps.

26 juin 1980. Je viens de finir l'école et mon père a planifié de m'envoyer en Angleterre. Je dois prendre l'avion aujourd'hui. Je vais m'ennuyer de ma bande d'amis. J'ai peur de tout manquer: les partys, les soirées au parc… En plus, je sors avec Will. Comment je vais faire de l'autre côté de l'océan?

Pour mon père, toutes les occasions sont bonnes pour perfectionner l'anglais. En voiture, il fait même des concours avec ma sœur et moi. Celle qui parlera le plus longtemps en anglais remportera des sous. Quand l'amie de ma sœur monte avec nous, Lélébeth, elle gagne tout le temps car elle est parfaitement bilingue! Des fois, elle me laisse des chances et je me ramasse dix cents. C'est mieux que rien!

Inspiré par sa propre expérience en Angleterre, papa m'a inscrite dans une école de langue à Lowestoft, la ville la plus à l'est de la Grande-Bretagne, la première place à voir le soleil levant en Angleterre.

24 juin, je quitte dans deux jours. Je fais mes valises et suis heureuse quand mes amies viennent m'interrompre. Marie-Jo, qui *adooore* David Bowie, me demande de lui obtenir un autographe pour elle si je le vois. (Il y a très peu de chances que je

le croise à Lowestoft, mais enfin, vive l'idéalisme de l'adolescence!) Elle a l'air plus excitée que moi.

Sarah me demande si je peux lui parler en privé. Curieuse, j'accepte. On se dirige vers la partie la plus éloignée de la cour. Je me demande pourquoi. Elle veut savoir si je sors toujours avec Will. Je lui réponds que oui. Elle me fait tout un discours sur le fait que c'est vraiment égoïste de ma part de partir ainsi, en pleine relation. Je ne comprends pas. Elle m'explique que je vais certainement rencontrer des garçons. Je lui dis que c'est possible, mais mon cœur bat pour Will. Elle me répond: « Mais si lui veut sortir avec quelqu'un? Et si toi tu rencontres quelqu'un là-bas… Tu comprends? »

Je ne suis pas certaine de comprendre. Je suis confuse et triste. Je ne voudrais surtout pas que Will se sente prisonnier. Alors, avant de partir, je lui dis au revoir et je « casse ». Il ne comprend pas trop et j'ai peine à lui expliquer, mais je l'aime trop pour lui mettre des bâtons dans les roues. J'évite de lui parler de Sarah et de ses commentaires.

Le jour J arrive. Je prends l'avion avec une quinzaine d'adolescents que je ne connais pas. Sept heures plus tard, j'arrive en Grande-Bretagne. J'ai l'impression d'être transportée dans l'après-guerre; il y a quelque chose de très fort dans l'air. Je me sens totalement dépaysée; est-ce à cause de la pluie, de l'architecture, des monuments… j'ignore encore pourquoi. Mais je me sens prête à le découvrir et à ouvrir mes horizons.

Lowestoft. Je sors de l'autobus. Une dame aux cheveux gris m'attend. Je m'apprête à rencontrer ma famille adoptive pour le prochain mois, pas une très grande famille, juste une mère et son fils Graham, qui a quelques années de plus que moi. Une fois dans la maison, elle me montre ma chambre. J'y dépose mes affaires. Je me prépare pour le souper. À la télé, le tournoi de Wimbledon bat son plein. Nous discutons de nos pays respectifs, de mon père, de la différence de l'anglais d'un pays à l'autre, d'où une discussion sur le « *cookie* » vs « *biskit* » (biscuit).

Il pleut pratiquement tous les jours. Tout est triste autour de moi. Aucune couleur. Ni à l'extérieur des maisons ni à l'intérieur. Le soir, je vais marcher avec le chien. Je m'ennuie. Mon confort, la bonne bouffe de ma mère, les blagues de « mononcle » de mon père, mes sœurs, mes amis, mes animaux, mon décor, notre façon de vivre à la nord-américaine. Je me demande comment je vais survivre.

Je vais à l'école le matin à bicyclette avec ma petite carte pour ne pas me perdre. L'après-midi, j'ai des cours d'équitation sous la pluie, c'est froid et humide. Mon petit plaisir, c'est ma tablette de chocolat à l'heure du lunch, ma *Fruit & Nut* de Cadbury. Mais le bonheur est fugace.

Une nuit, trois heures du matin, le téléphone sonne. J'entends Graham fâché qui crie: « Élizabeth, téléphone! » Je cours dans le hall pour répondre, j'ai peur de recevoir une mauvaise nouvelle de ma famille: « Allô? » Et avec stupeur j'entends le son de la voix d'une jeune adolescente: « Élizabeth? Comment ça va? » C'est ma meilleure amie Katherine: « Ça va, mais qu'est-ce qui se passe? » Elle me répond: « Rien, on voulait juste te parler. » Petit silence perplexe de mon côté, et je dis: « C'est parce qu'il est trois heures du matin! » « Oups, on a oublié. Ici il est 21 h. » (rires) « Je te passe Marie-Josée. » « Allô? Ça va? As tu vu David Bowie? » Elles me racontent tout ce qui se passe, tous les potins, toutes les fêtes... preuve que la vie continue sans moi, tellement que Sarah fréquente maintenant Will. Je retourne me coucher. Heureuse de leur avoir parlé, mais triste d'être à l'autre bout de l'océan. Triste de penser que Will m'a vite oubliée.

Un samedi, Graham m'invite à voir les courses de bateaux sur l'eau. Des genres de bateaux cigarettes qui vont à une vitesse terrifiante. Toute la communauté y est. Cela semble une tradition chaque année. Nous marchons ensemble, discutons des différences entre les Anglais et les Canadiens, et entre les Canadiens et les Canadiens français. On parle, on rit. Il étudie en science, il hésite entre la science pure et l'agronomie pour son avenir, moi, je rêve d'être diplomate. Il est super gentil. Nous nous entendons bien. Le soir, nous écoutons un film d'horreur. Il n'y a que trois postes sur la télé; on est loin des Netflix ou même des cassettes VHS, ou même du vaste choix de canaux télé en Amérique! Il s'arrête sur un film britannique de 1960, *The Hand*. Il pense qu'étant une fille je vais avoir très peur. Mais moi, j'ai déjà vu *Jaws*, *Alien*, *The Exorcist*, *Halloween*, *Carrie*... Pauvre lui, il l'ignore, mais je suis spécialiste en films d'horreur! Je me sens déjà un peu plus chez moi, mais il manque encore quelque chose.

Un jour, le vent tourne. C'est l'heure du lunch. Il fait beau, enfin. On mange dehors. Je discute avec d'autres Québécois et je me fais aborder par des Français rigolos qui n'arrivent absolument pas à comprendre l'anglais. Le soir, ils m'invitent et nous sortons pour découvrir un petit bar-discothèque sur la plage, le Pebbles. J'adore! Je passe plusieurs soirées à danser sur *Could You Be Loved* de Bob Marley, *Call Me* de Blondie, *Let My Love Open the Door* de Pete Townshend… Je fais la connaissance de Serge. On chante, on danse, on rigole.

Après quelques jours, un petit nouveau s'ajoute aux pensionnaires de notre maison, Jean-Claude. Je l'apprécie beaucoup. Il est super sympathique. Il a trois ans de plus que moi. Il devient mon grand frère protecteur adoptif. Le soir, nous sortons ensemble au Pebbles. Il fait attention de ne jamais me laisser revenir seule. Il fait très noir dans les rues de Lowestoft. C'est vrai que lorsque je suis seule, je pédale à une vitesse bionique, en regardant souvent tout autour de moi. Mon imagination est très fertile.

J'ai fini par tomber amoureuse de Serge. Au moment du départ pour Londres, je me souviens d'avoir pleuré à chaudes larmes, comme si c'était la fin du monde. Je suis repartie avec le foulard de Serge que j'ai porté tous les jours en son honneur jusqu'à la fin du voyage.

Londres. J'apprends à connaître mes compagnons de voyage. Chaque personne avait son style. Une m'a marquée en particulier. Anne-Marie, notre amie punk, qui faisait un peu peur avec sa veste de cuir, ses chaînes, sa mèche verte sur sa chevelure blonde/noire et ses yeux, maquillés de noir. Une allure très austère, mais une gentillesse sans pareil. Elle a réussi à nous convaincre d'aller voir un spectacle punk. À la fin du spectacle, le chanteur lançait des bananes dans l'auditoire avec l'inscription « Buy my album / achetez mon album ». Un concept original dont je me souviendrais toute ma vie!

Finalement, j'ai rencontré des gens charmants pendant mon séjour là-bas. Graham et sa mère, Jean-Claude et ses amis, Serge et tous mes amis québécois. Je me consolais en pensant qu'un jour, on se reverrait peut-être en France… Après seulement un mois, je ne voulais plus m'en aller. Étrange de constater qu'un jour on pense être incapable de s'adapter et que finalement on veut rester!

Un jour, j'ai reçu une lettre de la mère de Jean-Claude. À l'intérieur, j'ai découvert une photo de lui. Elle m'écrivait pour m'annoncer que son fils unique avait eu un accident tragique avec sa mobylette. J'ai pleuré. Ça m'a semblé invraisemblable. J'ai réécrit à ses parents, j'ai essayé de trouver les bons mots. J'ai gardé contact pendant quelque temps et ensuite, la routine a repris son cours. C'est bizarre, la vie.

Je suis heureuse que mon père ne m'ait pas écouté et qu'il m'ait poussé à faire ce voyage. L'objectif était d'enrichir mon anglais; mais je suis revenue avec tellement d'autres leçons. Pour moi, le succès d'un voyage dépend des gens, ce sont eux qui font la différence.

J'ai appris qu'on peut perdre la vie même quand on est jeune et en quête de liberté. J'ai appris à me débrouiller seule, loin de la famille, des amis et de tout ce qui m'est familier, que j'étais privilégiée. Que malgré le froid, la pluie, l'humidité, on peut quand même être de bonne humeur. Qu'on gagne en confiance aussi loin de sa zone de confort et d'un environnement différent.

Mon père m'a envoyée dans des camps en Ontario et dans l'État de New York. Puis en Angleterre, là où 40 ans plus tôt il avait été séparé de sa famille pendant trois ans pour servir à la guerre. Grâce à lui, j'ai appris à voler de mes propres ailes.

TTFN.[2]

2. TA TA FOR NOW: une expression que mon père avait empruntée aux militaires British et une émission de radio, populaire pendant la Seconde Guerre Mondiale.

ET VOUS?

Vous souvenez-vous de la première fois où vous êtes sorti de votre zone de confort et que vous avez commencé à vous débrouiller par vous-même? Qu'avez-vous ressenti? Qu'en avez-vous retiré? Avez-vous déjà eu le sentiment d'être un étranger lorsque vous arrivez à destination dans un endroit quelconque, mais après quelques jours, vous vous sentez chez vous?

CHAPITRE 12

BARCELONE ET SES ANGES

Le voyage est un retour vers l'essentiel.

—Proverbe tibétain

BANDE SONORE

Lindberg • ROBERT CHARLEBOIS
Variations sur le même t'aime • VANESSA PARADIS
Dis lui toi que je t'aime • VANESSA PARADIS
Crazy • SEAL
Hijo de la luna • MECANO
Kingston Town • UB40
Hélène • ROCH VOISINE
Papa Don't Preach • MADONNA
Si j'étais un homme • DIANE TELL
Don't Give Up • PETER GABRIEL
Invisible Touch • GENESIS
Pour une biguine avec toi • MARC LAVOINE
Maman a tort • MYLÈNE FARMER
Nothing Compares 2 U • SINÉAD O'CONNOR
She Drives Me Crazy • FINE YOUNG CANNIBALS
Chacun fait (c'qui lui plait) • CHAGRIN D'AMOUR
Week-end à Rome • ÉTIENNE DAHO
Roxanne • THE POLICE
Freedom! • GEORGE MICHAEL
Footloose • KENNY LOGGINS
Ghostbusters • RAY PARKER JR.
Missing You • JOHN WAITE
Oh Girl • PAUL YOUNG
I'll Be Your Baby Tonight • ROBERT PALMER ET UB40
Close to You • MAXI PRIEST
The Best • TINA TURNER
Safety Dance • MEN WITHOUT HATS
Closer Together • THE BOX
Pied de poule • GENEVIÈVE LAPOINTE

Un été, jeune adulte, l'Europe m'interpelle. Seule, je suis partie avec mon sac à dos, à la fois triste et heureuse de laisser encore tout ce qui m'était familier. Le gazon étant toujours plus vert ailleurs, j'étais curieuse de voir de quel vert il se parait. Je laissais donc derrière moi ma routine quotidienne et... ma zone de confort!

Un nouveau chapitre débutait. C'était l'heure de devenir adulte, de vivre mon indépendance. S'il devait m'arriver quelque chose, j'étais seule de l'autre côté de l'océan! Si j'avais besoin d'être sauvée, je ne pouvais compter que sur ma petite personne! Le concept peut faire peur, mais le besoin d'aventure était plus fort. Cette expérience a été une leçon extraordinaire. Pas pour les raisons que vous croyez...

L'avion atterrissait. Bienvenue à Barcelone! Je rêvais d'être trilingue. Une bonne façon d'apprendre, c'est d'aller à l'école. Je m'étais donc inscrite à une école internationale de langues, où je me suis fait trois bonnes amies: une Italienne, une Belge/Portugaise et une Américaine de Californie.

J'ai passé un moment incroyable. Découvrir l'Espagne, la nourriture, les gens, la nature, les cafés, les restaurants... Voyager peut être paradisiaque, mais la vie étant ce qu'elle est, tout peut changer en une minute!

Pensionnaire dans une famille espagnole, j'ai fait la connaissance de l'autre locataire, Javier, qui était charmant. Il m'a confié qu'il était originaire de Porto, au Portugal. Il avait dû s'éloigner de sa ville natale et de toutes ses mauvaises influences, parce qu'il avait une dépendance à l'héroïne, ce qui n'était pas rien. Abstinent depuis sept mois, il était prêt pour un nouveau départ. Je ne sais rien sur la drogue, mais je souhaitais l'aider. Pour ma part, je n'ai jamais ressenti d'attirance envers les narcotiques. Je restais quand même sans jugement car dans le passé, j'avais essayé d'aider une amie proche que j'aimais beaucoup et qui vivait le même enfer, à la suite de la mort tragique de sa mère. Curieusement, comme lui, elle était sobre depuis les sept derniers mois. Elle m'avait aussi avoué que ce septième mois était *LE* plus difficile. À mon départ, elle s'était présentée pour m'offrir une cassette de sa chanteuse préférée, Vanessa Paradis. Ça m'a touchée droit au cœur. En la quittant, je lui ai demandé de rester forte et de tenir le coup pendant mon absence. Cela peut paraître étrange, mais en aidant Javier, j'avais l'impression d'aider Olivia.

Tous les matins, j'étais sur les bancs d'école. J'étais déçue de ne pas apprendre l'espagnol plus vite. Alors, Javier m'a promis que le samedi qui approchait, il m'emmènerait passer la journée avec ses amis espagnols afin que je puisse pratiquer toute la journée. Je voulais vraiment apprendre à la quatrième vitesse. Cela faisait bien rire Javier. On s'est entraidés. Il pouvait se confier à moi quand il trouvait la sobriété difficile et en retour, il m'aidait avec mes devoirs quand j'en avais besoin. Tous deux loin de nos pays respectifs, nous avions commencé une belle amitié.

Un matin, j'attendais qu'il sorte de la salle de bains. Il était tard. J'allais manquer mes cours. C'était inhabituel qu'il prenne autant de temps dans la douche. J'ai frappé, et frappé, mais aucune réponse. C'était trop bizarre. Je me suis inquiétée, et c'est alors que j'ai décidé d'entrer par la fenêtre pour le trouver inconscient par terre. J'ai essayé de le réanimer, j'ai couru chercher un médecin qui habitait tout près, pour réaliser qu'il avait fait une *overdose*, et en était mort.

J'étais sous le choc. La dame propriétaire où j'habitais m'a suppliée de ne le dire à personne. Ce serait mauvais pour sa réputation. J'ai dû aller au poste de police pour confirmer mon innocence. Ensuite, je devais les laisser faire leur travail. Alors, comme d'habitude, j'ai pris le métro et je me suis dirigée vers l'école. Sauf que rien n'était comme d'habitude. Je me sentais comme un zombie ambulant. Les questions existentielles déferlaient à une vitesse folle dans ma tête: *Où est Javier maintenant? Pourquoi est-ce que je n'ai pas vu sa détresse? Est-il venu cogner à ma porte et je ne l'ai pas entendu? Suis-je responsable? Et si j'avais pu l'arrêter? Pourquoi on vit? Pourquoi on meurt? Quel est le sens de tout cela?*

Silencieuse, je rêvais de crier à pleins poumons! J'ai ressenti le besoin d'appeler mes parents pour m'assurer qu'ils allaient bien; j'avais besoin d'entendre leurs voix, mais, bien sûr, je ne pouvais rien leur dire, au risque de les tuer sur le coup! Je voulais aussi m'assurer qu'Olivia n'était pas retombée et était *OK*.

Je me suis présentée en classe. En fait, mon corps y est allé, mais mon esprit ne suivait pas. J'étais dans un état second. La dynamique Élizabeth n'y était plus. Ce qui ne m'aidait pas, c'était de me faire demander à répétition: « Ça va? Tu n'es pas comme d'habitude… »

Mon seul répit était la musique que j'écoutais. Dans

le métro, je me suis échappée avec *Dis-lui toi que je t'aime* de Vanessa Paradis, qui m'a amenée dans un autre monde. Je ne me sentais plus si seule. Vanessa était avec moi, tout comme l'amie qui m'avait donné cette bande. Je pouvais échapper à la réalité pendant un petit moment. Mais elle allait revenir…

En quelques heures, j'avais l'impression d'être passée du paradis à l'enfer. Vous connaissez le dicton *Un jour à la fois?* C'est tellement vrai! Parce que 24 heures plus tard, tout allait changer, encore, comme je le disais, c'est la règle de la vie, tout peut changer en quelques minutes!

Ce jour-là, je n'ai pas pu parler pendant de nombreuses heures. Jusqu'au moment où, seule avec mes trois amies, j'ai explosé! Je n'en pouvais plus. J'allais devenir folle. Une fois que je leur ai tout raconté, j'ai vu leurs mâchoires tomber. De mon côté, je me suis sentie soulagée de partager. Je n'étais plus seule. Mon amie Isabelle (Belge/Portugaise) s'est exclamée: « Assez avec Barcelone, tu reviens avec moi, on achète ton billet. Fais tes bagages, tu t'en viens en Belgique et ensuite au Portugal! » Nous sommes donc parties.

Isabelle et ses parents m'ont choyée. Ils m'ont présentée à leurs amis. Je me sentais comme si j'étais avec ma propre famille, sauf pour l'accent, la routine et le paysage. L'histoire a fait le tour du village et je me suis retrouvée avec un nouveau guide pour chaque ville! J'ai vu de beaux endroits. J'ai visité des sites historiques de la Deuxième Guerre en Hollande à bicyclette. J'ai sauté d'un rocher pour atterrir dans l'eau bleu turquoise de l'Algarve. Un matin, je cueillais des citrons dans le jardin avec Monique, la mère d'Isabelle. Le lendemain, je ramassais des amandes dans ce même jardin avec José, son père. J'étais de retour au paradis… jusqu'à ce que je doive repartir. Je suis tombée amoureuse de cette famille et de leur pays. Vraiment, Isabelle a été ma sauveuse!

Quelques années plus tard, je suis allée au mariage d'Isabelle (Bebelle), et elle est venue assister au mien avec sa mère. Je suis retournée au Portugal pour faire découvrir le pays à mon mari et à mon fils. Sa petite cousine, Justine (Respire), est venue étudier à Montréal et j'entretiens maintenant une amitié avec elle et ses parents à Paris.

Aujourd'hui, il est plus compliqué de voyager, mais mon esprit s'évade chaque fois que je croise Isabelle et son Algarve sur Instagram!

Pourquoi je vous raconte cette histoire? Peut-être parce que j'avais besoin de revisiter des souvenirs heureux pour m'échapper pendant la pandémie…

Peut-être que je voulais vous dire de ne pas abandonner, de croire en la vie? Peut-être que je voulais vous dire de faire du bien à un ami ou une à connaissance parce que dans 20 ans, vous pourriez avoir avec cette personne une amitié encore plus forte!

Peut-être que je voulais dire: « Merci, Isabelle, de m'avoir emmenée loin de Barcelone ce jour-là. »

Si vous vous croyez seul, vous ne l'êtes pas.

Une main amicale pourrait être juste au prochain coin de rue.

ET VOUS?

Vous êtes-vous déjà senti *béni* à la suite d'une tragédie? Avez-vous déjà vu votre vie changer du paradis à l'enfer en 24 heures, ou l'inverse? Qu'avez-vous appris de cette expérience? Avez-vous déjà tissé des liens avec des voyageurs avec qui vous êtes maintenant des amis internationaux? Avez-vous déjà eu ce sentiment d'être un étranger après être arrivé à une destination quelconque? Mais après quelques jours, vous vous sentiez comme chez vous.

CHAPITRE 13

L'AMITIÉ N'A PAS D'ÂGE

Tout le monde a un ami à chaque étape de la vie.
Mais seuls les chanceux ont le même ami à toutes les étapes de leur vie.

—Anonyme

BANDE SONORE

Un ami • NICOLA CICCONE
Young At Heart • FRANK SINATRA
It Was a Very Good Year • FRANK SINATRA
Witchcraft • FRANK SINATRA
Que Sera, Sera • DORIS DAY
The Girl from Ipanema • STAN GETZ ET JOÃO GILBERTO
Downtown • PETULA CLARK
I Got You (I Feel Good) • JAMES BROWN
C'est le temps des vacances • PIERRE LALONDE
Voir un ami pleurer • JACQUES BREL
You've Got a Friend • CAROLE KING ET JAMES TAYLOR
Stand By Me • BEN E. KING

Été 1971, par un samedi chaud et ensoleillé. À pleine vitesse, sur mon vélo banane, je suis sur le chemin du retour après un bel après-midi avec Nath. Excitée à l'idée de voir les meilleurs amis de maman et papa pour un barbecue, je pédale encore plus vite. Nous les appelons nos oncles et nos tantes, bien qu'ils ne fassent pas partie de notre famille de sang mais plutôt de celle du cœur. Ils nous ont vus grandir. En fait, la première chose qu'ils me disaient quand je les voyais, c'était souvent: « Mon Dieu, comme tu as grandi! » Quel bonheur pour moi de savoir que je me rapprochais d'eux en gagnant quelques centimètres année après année.

Me voilà arrivée à destination. Mon vélo se ramasse sur le gazon. Je cours jusqu'à la terrasse de la cour arrière. Des voix et des rires retentissent. C'est Oncle Jacques, notre oncle préféré et parrain de ma sœur. Chanceuse, elle a gagné le gros lot! Un vrai parrain gâteau. Carole et moi sommes jalouses parce que nos parrains ne semblent pas savoir que nous existons! Heureusement, Oncle Jacques nous a toutes adoptées momentanément. C'est un grand et bel homme avec de larges épaules, des yeux bleus perçants, des cheveux poivre et sel – un charmeur né. Il était pilote dans l'armée et prisonnier de guerre. Ami d'enfance de papa, ils ont fait les quatre cents coups ensemble. Quand il est dans la même pièce que papa, j'ai l'impression que ce dernier, un homme sérieux dans la cinquantaine, devient soudainement un garçon enjoué de douze ans.

Lorsque les amis de mes parents nous rendent visite, c'est comme si le bonheur s'emparait de toute la maison.

Je dis bonjour à tout le monde, en commençant par Oncle Georges. Il est le plus calme de tous, un homme bon. Il le cache bien, mais c'est un homme fort à l'intérieur. Prisonnier de guerre pendant cinq ans, guéri du cancer à quarante-quatre ans, et d'autres cancer par la suite. C'est un battant. Il a même déjà rencontré Frank Sinatra à travers son travail! Mais l'important pour moi, c'est que c'était le père de mon meilleur ami (Michel, que j'aimais secrètement). Justement, il est présent, mais je ne l'ai pas encore trouvé. J'embrasse sa mère, Tante Denise, une belle femme. Elle me rappelle l'actrice Doris Day. Elle a les mêmes cheveux blonds sexy courts, avec de superbes grands yeux bruns. Elle m'appelle souvent « mon chou » ou « sa fille adoptive » car je reste souvent à coucher chez elle. Tante Denise est dévouée à la santé de son mari. Sincèrement, je doute qu'il serait encore là si elle n'avait pas été si présente.

Voilà que Tante Mady arrive avec Oncle Jo, ce sont nos Montréalais, *les gens de la ville*. Tante Mady est guide, elle connaît tout sur Montréal. Si on porte assez attention, on entendra un accent lointain dans leur voix, anglais, irlandais, écossais. Quand Oncle Joe dit mon nom, j'ai l'impression d'entendre un gentleman *British*. Personne n'a jamais dit mon nom d'une aussi belle façon.

J'arrive à Tante Jocelyne, une femme intelligente à la tête forte. Elle avait été infirmière, agente de bord et, à ce moment-là, elle était en affaires avec son mari Jacques. Elle était vraie, authentique et surtout très directe, ce qui faisait son charme. Exactement pourquoi Oncle Jacques est tombé amoureux d'elle!

Je finis de répondre aux questions de Tante Jocelyne sur l'école. Je me retourne et je trouve Michel, juste en face d'Oncle Jacques - où d'autre? Je suis excitée. Je les salue tous les deux, mais ils sont occupés. Mes sœurs sont là aussi. Oncle Jacques effectue un tour de magie. Tous les enfants sont attentifs. Il fait disparaître une pièce de deux dollars. Juste au moment où nous nous demandions tous où elle était allée, il la fait sortir de l'oreille de Michel. Puis il effectue un autre tour, et encore un autre. Pour la grande finale, il sort des sacs en papier brun pleins de gâteries pour chaque enfant. Heureux d'être notre star, il retourne dans le plus sérieux monde des adultes.

Michel et moi courons vers le canapé au bord de la piscine pour voir ce qu'il y a à l'intérieur de nos sacs. Nous trouvons une pléthore de bonbons: Caramilk, Oh Henry, Lait malté, Fleur de cerisier, Crunchie, gomme Bazooka… Nous mâchons tout en lisant les bandes dessinées et en échangeant des blagues. Au fond du sac, nous trouvons de petits pistolets à eau en plastique colorés. La guerre éclate! Les pistolets ne se remplissent pas assez vite pour que l'un de nous ait le temps de rester au sec. Nous avons tellement de plaisir!

Maman a besoin de tomates pour sa recette. Oncle Jacques a offert de s'en occuper, mais seulement si nous l'accompagnons. Comment pourrions-nous dire non? Nous sautons dans sa toute nouvelle décapotable. Nos cheveux flottent dans toutes les directions, et notre sourire s'étire d'une oreille à l'autre. Quel merveilleux sentiment de liberté! Dans nos rêves, on ne voudrait jamais revenir à la maison. Mais maman a besoin de ses tomates!

De retour à la maison, Tante Denise est dans la piscine. Quelle femme courageuse: l'eau est glaciale. Papa a arrêté le chauffage, parce qu'il prétend que nous ne nageons pas assez. Tant pis, il fait chaud, ce sera rafraîchissant. Nous sautons et commençons une partie de Marco Polo. Soudain, le souper est prêt. Nous nous précipitons à table et me voilà devant un oncle et une tante que je n'avais pas vu tantôt. Tante Suzanne est très grande et belle, élégante comme Rita Hayworth. Son mari Noël est un homme de lettres, propriétaire d'une librairie, mais surtout un épicurien. Il a dû être chef dans une autre vie parce que ses talents culinaires sont incroyables, peut-être parce qu'il est très curieux. Il possède toujours les derniers gadgets. C'est d'ailleurs lui qui a été le premier à nous présenter le micro-ondes et, une décennie plus tard, le lecteur de CD.

Les steaks sont presque prêts. Il est temps de se rendre à la table extérieure. Les femmes se sont assises en premier. Les hommes bavardent devant le barbecue, échangeant des secrets culinaires, puis nous rejoignent. Maman est sortie de la cuisine avec des plats délicieux. Nous mangeons tous les quatorze autour de la grande table ronde en bois avec l'énorme parasol déployé au-dessus de nos têtes. Nous regardons le coucher du soleil et écoutons les différentes histoires de nos tantes et oncles sur leurs jeunes années. Il commence à pleuvoir et on rit, chanceux d'être témoins de la beauté d'une merveilleuse soirée d'été ensemble, en famille.

Nous avons eu beaucoup de soirées comme celle-ci. Mes « tantes » et mes « oncles » m'ont vue vieillir, et je les ai vus devenir plus sages. Même à l'âge de vingt ans, j'adorais passer des soirées avec eux. Quelques-uns des meilleurs moments de ma vie. Des moments simples mais parfaits.

En vieillissant, la vie vous jette des balles courbes. Beaucoup de mes oncles sont tombés malades et sont décédés. Nos rassemblements se sont transformés et nos conversations sont devenues plus profondes. Mes tantes prodiguaient quelques mots de sagesse pour tous les défis que je traversais pendant qu'à mon tour, j'écoutais les histoires de leur jeunesse.

Enfant, je pensais que Tante Jocelyne était un peu stricte. Je suppose que les contraires s'attirent. Elle devait en quelque sorte l'être, parce qu'Oncle Jacques était très jeune de cœur. Nous avons besoin d'équilibre dans la vie. J'ai appris à la connaître et à l'aimer. J'ai découvert qu'elle était aussi jeune de cœur, mais d'une manière différente. Elle avait toujours un nouveau jeu à nous faire découvrir. Parfois, nous jouions aux cartes. D'autres fois, à Ouija. Un jour, elle a arrêté de jouer à Ouija, disant qu'il était dangereux de jouer avec *l'autre côté*. Elle était en avance sur son temps: avant tout le monde, elle a été la première à jouer au bridge en ligne avec des gens à travers le monde, jusqu'en Chine.

Elle était un peu responsable de mon union avec mon mari. Je me souviens lui avoir dit que j'hésitais à sortir avec cet homme parce que j'avais peur qu'il soit trop jeune, ce à quoi elle avait répondu: « C'est de la foutaise! Regarde notre génération! Nous avons épousé des hommes plus âgés. Ils ont travaillé comme des chiens, nous promettant une belle retraite. Ils sont tombés malades, nous avons pris soin d'eux, et maintenant ils sont tous partis, alors nous vivons et voyageons seules! Ton Martin est parfait. Allez, arrête d'hésiter. Tu penses trop! »

Alors je l'ai écoutée, et maintenant nous sommes ensemble depuis vingt-trois ans. Et je remercie Tante Jocelyne pour cela.

Aujourd'hui, mes parents ainsi que mes tantes et oncles adoptifs sont tous partis, sauf une: tante Denise, qui a quatre-vingt-seize ans. Elle a déménagé il y a douze ans pour vivre dans la même résidence pour personnes âgées que maman, mais maman est partie pour un monde meilleur la semaine avant que ma tante déménage. Dommage, elles auraient eu tellement de plaisir ensemble.

Tante Denise est mon amie maintenant. Je vais la chercher quand nous avons des fêtes de famille, et elle est si heureuse d'être avec nous. Nous avons passé des nuits de filles au chalet, buvant du vin et riant. Parfois, nous allons simplement faire un tour en voiture et discuter. À l'occasion, je dois lui faire des petits discours d'encouragement à l'hôpital, afin qu'elle sache que même si tout le monde est parti, il y a encore une jeune génération de gens qui l'aiment et qui est là pour elle, et que c'est pour ça qu'elle doit se remettre sur ses pieds!

Elle a connu mes parents quand ils étaient jeunes. Elle m'a vue grandir. Elle a même vu mon fils passer de la taille d'un pois à un homme. J'aime sa compagnie et elle aussi.

Nous avons vécu deux générations d'amitié. Nous avons une différence d'âge de quarante ans, mais la plupart du temps, je sens simplement que je suis avec ma copine de dix-sept ans avec qui je partage un lien très fort!

J'aimerais que nous ne regardions pas autant l'âge lors du choix de nos amis. C'est tellement incroyable de discuter avec quelqu'un qui a tout vu et qui peut vous transmettre autant de sagesse!

Tante Denise plaisante souvent en disant que Dieu l'a peut-être oubliée. S'il l'a fait, j'en suis heureuse. Être avec elle est réconfortant parce qu'elle me connaît depuis si longtemps. De plus, je comprends pourquoi mes parents l'aimaient, et j'ai l'impression que quand je suis avec elle, un petit morceau d'eux est toujours là. Encore une fois, une preuve que mon égrégore est vivant et en bonne santé!

ET VOUS?

Avez-vous grandi avec des gens que vous considérez comme votre deuxième famille? Des gens qui n'étaient pas liés à vous par le sang, mais de qui vous étiez proches comme si vous l'aviez été? Qu'est-ce qu'ils vous ont appris? Comment vous ont-ils aidé à grandir? Avez-vous des amis qui sont beaucoup plus âgés ou plus jeunes que vous? Avez-vous des amis que vos enfants apprécient plus particulièrement? Partagez-vous une amitié avec les amis de vos parents?

CHAPITRE 14

AMIS D'ENFANCE, AMIS À VIE

L'amitié est le confort de savoir que même lorsque vous vous sentez seul, vous ne l'êtes pas.

—Anonyme

BANDE SONORE

Grease • FRANKIE VALLI
Greased Lightnin' • JOHN TRAVOLTA ET JEFF CONAWAY
Back in Black • AC/DC
Suite Madame Blue • STYX
Say it Ain't So, Joe • MURRAY HEAD
Give a Little Bit • SUPERTRAMP
Your Song • ELTON JOHN
Ripples • GENESIS
Follow You, Follow Me • GENESIS
Stairway to Heaven • LED ZEPPELIN
Dream On • AEROSMITH
(I Can't Get No) Satisfaction • THE ROLLING STONES
Should I Stay or Should I Go • THE CLASH
Piano Man • BILLY JOEL
Under Pressure • QUEEN ET DAVID BOWIE
Africa • TOTO
Bicycle Race • QUEEN
Saturday Night • BAY CITY ROLLERS
Stayin' Alive • BEE GEES
Born to Be Alive • PATRICK HERNANDEZ
We Are Family • SISTER SLEDGE

J'ai cinq ans. Ma grande sœur se prépare pour rendre visite à son amie. Elle essaie de se faufiler en douce, mais maman l'attrape juste à temps. Qu'elle le veuille ou non, elle doit m'emmener avec elle. Nous allons en direction de chez les Pelletier. Passagère derrière elle, sur son vélo, je m'accroche fort à sa taille, je garde mes pieds très haut dans les airs pour ne pas qu'ils s'accrochent dans les roues. J'adore! Elle doit faire tout le travail, donc elle n'apprécie pas autant! Une fois à destination, elle sonne à la porte. Son amie répond et appelle sa petite sœur, Nath. Nous courons dans sa chambre pour jouer avec des poupées Barbie pendant un moment. Un enfant joue rarement longtemps à une seule activité. Nath est la plus jeune d'une famille de huit. Elle a tellement de chance! Nous décidons de descendre dans le sous-sol et de regarder ses frères répéter avec leur groupe. C'est tellement cool, jusqu'à ce qu'un d'eux crie: « Nath, va jouer en haut! » Eh bien, pas de concert gratuit pour nous! Nous courons à l'étage et on nous offre un morceau de gâteau que nous acceptons avec plaisir. Nous jouons un peu plus jusqu'à ce que ma sœur vienne me chercher: il est temps de rentrer à la maison.

J'ai huit ans. Chaque matin, je prends l'autobus pour aller à l'école. J'ai deux nouvelles voisines, deux sœurs. Nous sommes trop timides pour parler. Puis, un jour, ma mère me dit qu'elle les a abordées et qu'elles adoreraient jouer avec moi. Le lendemain matin, je me sentais assez en confiance pour leur parler.

Bang! Je viens de me faire deux amies pour la vie.

Elles habitaient dans la maison juste en face de la nôtre. Nous jouions ensemble tous les jours. Kick ball, basket-ball, *tag*, cache-cache, élastique. Nous rêvions d'aventure. Nous rêvions d'avoir une société secrète. Nous avons grandi. Nous nous sommes intéressées à la musique et aux films.

Le film *Grease* vient de sortir. Mes amies et moi décidons d'aller le voir. John Travolta nous ensorcelle. Nous voulons chanter toutes les chansons. Avant de rentrer, nous faisons un détour par le magasin de disques pour acheter l'album. Nous nous précipitons chez moi. Je cours à l'étage pour chercher la table tournante et les hauts-parleurs. Nous chantons, dansons, rêvons, et pendant un après-midi, nous incarnons Olivia Newton-John et John Travolta! Chaque fois que le film est diffusé à la télévision, il me rappelle cette époque.

Quatorze ans. Nous avions eu beaucoup de plaisir en trio, mais nous rêvions d'un nouveau chapitre, celui d'être en gang. Un après-midi, en vélo, nous nous retrouvons face à face avec d'autres voisins qui habitent un peu plus loin et voilà que nos activités allaient se bonifier. Tout est devenu beaucoup plus intéressant. Une fois tous les trois mois, nous fréquentons les danses du Collège Beaubois ou de Notre-Dame. Nous courions à toute vitesse pour attraper le train pour nous y rendre; pas toujours évident quand on est douze! Après trois heures de danse et de socialisation au son du rock des Stones, Queen, Led Zeppelin et compagnie, c'était l'heure d'attraper le dernier train pour le retour. Le samedi, l'expérience se répétait mais c'était pour le centre de patin à roulettes ou les sorties de ski.

À seize ans, nous avons tous obtenu notre permis de conduire. Nous avons dansé dans plus de gymnases situés autour de Montréal. À dix-huit ans, nous allions enfin au centre-ville. Ensuite, j'ai commencé à m'intéresser aux boîtes de nuit. Pas vraiment pour boire, parce que ma drogue était la musique et la danse. Je me suis retrouvée à La Mansarde, DJ, La Pleine Lune, Le 1234 (un ancien salon funéraire), Chez Swann… Madonna était souvent à l'honneur, tout comme Michael Jackson, The Police, Duran Duran, Van Halen, U2 et tant d'autres.

Plus tard, nos vies ont pris une autre direction. Nous nous sommes mariés, avons eu des enfants, nous avons déménagé, nous nous sommes fait de nouveaux amis. Nous ne nous voyions pas souvent, mais nous nous parlions au téléphone, nous nous assurions que tout le monde allait bien.

Le jour de mon anniversaire, je les invite, et nous chantons et dansons. Tout en mangeant de la nourriture incroyable, nous nous souvenons du bon vieux temps, comme j'ai vu mes parents le faire avec leurs amis. Depuis vingt ans, mon ami Paul me fait mon gâteau d'anniversaire préféré: tarte à l'Alaska flambée et cuite au four! C'est le meilleur cadeau!

Ma première amie était Nathalie. Nos activités ont changé, mais nous apprécions toujours la compagnie de l'autre. Tous les lundis soirs, je prends mon ordinateur, je me connecte à Zoom et je vois son visage apparaître sur mon écran. Je suis son cours de méditation. Nous nous voyons à un rythme très différent de celui que nous avions à l'âge de cinq, quinze ou vingt ans, mais nous aimons toujours passer du temps ensemble, même après toutes ces années. Quelque part, dans notre imaginaire, nous sommes toujours deux petites filles de cinq ans qui s'amusent.

Avec nos vies bien remplies et la pandémie, nous ne pouvons pas nous voir autant que nous le souhaiterions, mais quand j'écoute de la musique, ils sont toujours dans mon esprit, et je les aime tendrement.

Quand j'entends Madonna, je revois Cath en train de chanter et danser.

AC/DC me fait penser à Paul, mon meilleur copain avec qui j'ai dansé dans de nombreuses fêtes et dans quelques bars, et avec qui j'avais les meilleures conversations sur le chemin du retour. Je le vois chanter et danser, dans son propre petit monde.

Quand j'entends Bowie, je pense à Marie-Jo.

Les Bee Gees me remémorent Philippe et Nath dans leur première maison avant qu'ils aient leurs trois enfants. Juste deux jeunes amants, un samedi soir, dans leur salon avec moi qui les regardais, en espérant qu'un jour je pourrais vivre une grande histoire d'amour moi aussi.

Quand j'entends Bread, je suis dans le sous-sol de chez Lizanne, où son père a mis en place une sorte de discothèque à domicile juste pour elle, la chanceuse.

Quand j'entends *A Day In The Life* des Beatles, je vois Sophie, excitée à l'idée de me faire découvrir cette nouvelle chanson. Même si elle vit maintenant aux États-Unis, elle reste proche de mon cœur!

Tant de chansons, tant de grands amis…

Je me suis fait de nouveaux amis ces derniers temps. Cela me fait me demander pourquoi ça clique avec certaines personnes et pas d'autres, pourquoi nous restons amis pour la vie avec certains et pas d'autres. Je suppose qu'on doit partager des intérêts communs et dans mon cas avoir un sens similaire de l'espièglerie?

J'espère que vous avez de bons amis solides parce que dans les moments difficiles, ils feront toute la différence et deviendront une famille pour vous.

ET VOUS?

Avez-vous des relations d'amitié que vous protégeriez contre vents et marées? Peut-être que vous ne leur parlez pas souvent, ou que vous n'avez pas l'occasion de les voir régulièrement, mais chaque fois que vous les voyez, vous avez l'impression de ne jamais les avoir quittés? Vous souvenez-vous comment vous avez rencontré vos amis les plus âgés? Vous rappelez-vous les jeux auxquels vous jouiez ensemble? La musique que vous aviez l'habitude d'écouter?

CHAPITRE 15

JAMAIS SANS MON CHIEN!

Un chien, un chat, c'est un cœur avec du poil autour.

—Brigitte Bardot

BANDE SONORE

Belle • ZAZ
Belle et Sébastien • COEUR DE PIRATE
Who Let the Dogs Out • BAHA MEN
Dogs • PINK FLOYD
Dogs • DAMIEN RICE
I'll Name the Dogs • BLAKE SHELTON

REX, LE PREMIER ET LE DERNIER CHIEN DE MON PÈRE

1956. Les Canadiens de Montréal remportent la Coupe Stanley. Elvis scandalise tout le monde avec son déhanchement. Le chanteur québécois Raymond Lévesque chante « Quand les hommes vivront d'amour », qui devient un succès international. La Chevrolet Corvette est devenue la voiture emblématique de l'année. Marilyn prépare une révolution sexuelle. Édith Piaf visite le Québec. Mon père a eu son premier appareil photo Polaroid et a pris des photos de tout le monde. Maman et papa ont préparé leur petit nid.

Mes parents venaient de se marier. Ils avaient acheté leur première maison et maman était enceinte. Mon père n'était pas un homme très grand, peut-être cinq pieds huit ou neuf, mais il rêvait d'avoir un grand chien. Il est donc allé chercher un grand danois et l'a appelé Rex. Leur amour était mutuel. Il écoutait mon père à la lettre, et mon père était très fier de son chien!

Un samedi soir, mon père était dehors sur la terrasse, en train de faire des hamburgers sur le barbecue avec ses amis tout autour de lui. Il avait laissé le chien à l'intérieur afin que les invités ne soient pas dérangés. Tout en racontant une histoire à ses amis, il a gesticulé et levé les bras au ciel. Rex, pensant que mon père faisait ce mouvement pour qu'il « vienne ici », s'est précipité vers son maître. Il est passé par la porte moustiquaire et est allé s'asseoir devant mon père, montrant à quel point il était un chien obéissant. Rex était heureux d'être enfin invité à la fête!

Lorsque vous avez une nouvelle maison et pas d'enfants, vous avez plus souvent des invités. Un autre beau samedi, les Tremblay, Champagne, Poissant et Thompson sont venus dîner. Ma mère était occupée dans la cuisine. Elle voulait que tout soit parfait pendant que ses amis la suppliaient de venir prendre un verre dans le salon avec eux. Elle a sorti son rôti de bœuf du four et l'a mis sur le comptoir pour le laisser reposer. Une fois qu'elle était convaincue que tout était en ordre, elle a poussé un soupir de soulagement, a enlevé son tablier et s'est élancée dans le salon où on lui a servi son verre de Cinzano, sa boisson préférée. Les hommes buvaient tous des *gin tonic*. Elle pouvait enfin discuter avec ses amis.

Après quelques minutes, elle est retournée à la cuisine pour une dernière préparation avant de servir. La première étape consistait à couper le rôti de bœuf. Elle a attrapé son couteau électrique et s'est retournée… pour découvrir que le rôti de bœuf semblait avoir disparu! Son niveau de stress a augmenté. On savait parfois qu'elle était distraite, mais cette fois, elle était perplexe. Où ailleurs que sur le comptoir avait-elle pu mettre le rôti de bœuf? À chaque seconde qui passait, son niveau de stress montait. Pendant un moment, elle a pensé qu'elle devenait folle.

Et puis elle a entendu quelque chose. Elle s'est retournée et a vu Rex se lécher les babines et la regarder, sa tête à la bonne hauteur, celle du comptoir. Il la regardait comme pour dire: « Merci, c'était incroooyable! » « Oh mon Dieu! » s'est exclamée maman bruyamment. Ses amis se sont précipités dans la cuisine et l'ont trouvée presque en larmes. Que servirait-elle pour le dîner? Un rôti de bœuf pour le chien et de petits sandwichs triangulaires pour les humains?! Les amis de mes parents les ont taquinés longtemps avec cette histoire, affirmant que dans leur prochaine incarnation, ils voudraient revenir en tant que Rex! Quelques mois plus tard, ma sœur aînée, Carole, est née. Après l'épisode du rôti de bœuf, on pouvait se demander ce que Rex risquait de faire à Carole s'il avait un excès de jalousie. Maman et papa ont donc pris la décision de dire au revoir à Rex, l'un des au revoir les plus difficiles qu'a vécu mon père. Il a essayé de lui trouver le meilleur foyer d'accueil possible… et a fini par trouver un chef! Il s'est dit que Rex aurait une bonne vie et certainement de bons repas! Plus tard, curieux, mon père a appelé le chef pour avoir des nouvelles de Rex. Le chef l'a remercié, disant qu'il avait fait beaucoup d'argent parce que Rex était de race pure. Il l'avait vendu! Mon père était sans voix, enragé et triste. Son cœur était brisé. Après ça, il n'a plus jamais touché ou aimé un autre chien. Il est resté à jamais fidèle à son Rex.

LES CHIENS DE MON ENFANCE

Quand j'avais six ans et que ma sœur aînée en avait quatorze, nous regardions *Belle et Sébastien* à la télé ensemble. Belle était un chien de montagne des Pyrénées et Sébastien était un beau garçon. L'émission suivait leurs aventures dans les Alpes françaises, où Belle, un chien grand et intelligent, passait la plupart de son temps à sauver des vies dans les montagnes.

Des années plus tard, je rêvais d'avoir un gros chien intelligent. Tous les samedis matin, je regardais *Georges*, une émission de télévision canado-suisse sur les aventures d'un saint-bernard et de son maître en Suisse. Georges était très drôle parce qu'il était grand et un peu maladroit. Mais surtout, il était intelligent et passait son temps à sauver des vies. Le saint-bernard, réputé pour son intelligence, son fort sens de l'odorat et son sens astucieux de l'orientation, est connu pour sauver des vies lors d'avalanches et est devenu l'un des chiens emblématiques de la Suisse.

Je voulais donc vraiment un gros chien intelligent et protecteur. Je me suis dit qu'un jour j'aurais mon saint-bernard! Au fil des ans, nous avons eu quelques chiens – Napoléon, Joséphine, Pomponnette, Préfixe – mais je rêvais d'un *Georges*...

Quand nous avons vieilli encore, ma sœur et moi désirions un plus gros chien, et ma sœur voulait avoir un husky malamute, une race très semblable à un loup. Nous avons donc eu Anouk! Anouk était beaucoup plus heureuse à l'extérieur qu'à l'intérieur. Une fois, quand j'avais quinze ans, mes parents ont fait un long voyage, et mes sœurs n'étaient pas à la maison. J'étais seule, et j'ai commencé à laisser mon imagination prendre le dessus sur moi dans l'obscurité. Mais heureusement, Anouk dormait dans ma chambre. À quelques reprises tout au long de la nuit, elle se levait et faisait des rondes, comme un loup protégeant sa meute. Je me sentais en sécurité, sachant qu'Anouk ne laisserait jamais personne me faire du mal et que je pouvais dormir en paix.

Lorsque nous allions au chalet, elle s'échappait souvent,

mais nous la trouvions toujours à la tête d'une meute d'amis. Après un certain temps, tous les chiens de sa meute sont rentrés chez eux, sauf un, une femelle, qui avait l'air abandonnée. Nous avons supplié ma mère de la garder, et elle a fait un pacte avec nous: si nous faisions le tour du village et que personne ne la réclamait, le chien était à nous.

Eh bien, nous sommes allés au village, et nous avons finalement trouvé les propriétaires. Mais ils ne montraient aucun intérêt à reprendre leur chien. Ma mère ne s'attendait pas à ça. Nous nous sommes donc retrouvés avec trois chiens!

Nous avons décidé de l'appeler Sartre. C'est le petit ami de ma sœur qui avait choisi ce nom après avoir lu un livre de Sartre. Notre Sartre était un Borzoi, une race russe qui ressemble à un lévrier. Elle avait une tache de caramel et le reste de ses cheveux était d'un blanc argenté. C'était une chienne *différente*, mais nous l'aimions, et elle est devenue meilleure amie avec Anouk.

Sartre était capable de sourire sur commande, ce qui était charmant. J'avais l'impression qu'elle nous comprenait. Pendant l'été, une de mes joies était de prendre mon vélo, de pédaler à pleine vitesse et de l'admirer en train de courir gracieusement et sans effort à mes côtés. C'était un si beau spectacle, juste pour moi! Je me sentais libre comme le vent, et elle aussi.

Un jour, alors que je rentrais de l'école, Anouk n'était pas là pour m'accueillir. Les fêtes qu'elle me réservait quand j'arrivais à la maison ont toujours été un moment fort de ma journée. C'est toujours bon de voir quelqu'un qui est heureux de vous retrouver. C'est bon pour le moral.

En général, si vous laissez un husky malamute libre, il partira à la conquête du Québec, sans attendre que vous l'appeliez. Anouk pouvait quitter pour cinq minutes ou pour trois jours, c'était la même chose pour elle. Mais ce soir-là, elle n'était pas là. Elle s'était échappée et s'était enfuie avec joie pour conquérir le monde. Sauf qu'une voiture avait arrêté cette course pour toujours.

Ma sœur m'a expliqué qu'Anouk était partie pour un autre monde et qu'elle ne reviendrait pas. Notre chienne n'avait que cinq ans. Cette nuit-là, j'ai pleuré toutes les larmes de mon corps, et le lendemain matin, quand je suis allée à l'école, je pleurais encore. Quand vous allez dans une école de filles, il y a beaucoup de commérages qui se passent, et tout le monde se demande pourquoi vous pleurez. Alors mes camarades de classe m'ont demandé ce qui n'allait pas, et j'ai répondu que mon chien était mort.

Ce matin-là, mon chagrin était le sujet dont tout le monde parlait. Grâce à ce jeu de téléphone, j'ai découvert qu'il était facile de déformer la vérité. Anouk était morte et je n'avais aucune envie d'aller en classe, alors j'ai pris mon temps. Lorsque mon professeur, Mlle Michaud, a pris les présences et qu'elle a constaté que je n'étais pas là, les élèves lui ont expliqué que j'étais partie pour un autre monde. Vous pouvez imaginer les cris de surprise que j'ai entendus quand je me suis présentée à la porte de la classe! « Nous pensions que tu étais morte! » m'ont dit mes camarades de classe et mon professeur. J'ai de nouveau fondu en larmes, expliquant à travers mes sanglots que c'était mon chien qui était mort et pas moi!

Quelques mois après la mort d'Anouk, mes parents ont

décidé de s'offrir un voyage romantique, laissant Jo et moi seules (quelle erreur!). Ma sœur aînée Carole s'était mariée et avait déménagé à ce moment-là. Jo et moi sentions un vide sans Anouk, alors nous avons regardé des livres avec des images de chiens. Nous voulions avoir un très gros chien, un terre-neuve. Un jour, à mon retour de l'école, j'ai eu l'agréable surprise de trouver un petit terre-neuvien dans notre salon que Jo avait obtenu. J'étais si heureuse!

Joe m'a montré une photo et m'a dit: « Voilà de quoi il aura l'air quand il sera grand! » Le chien sur la photo ressemblait à un gros ours en peluche. Je sautais de joie.

Pauvre maman, quand elle est rentrée à la maison et qu'elle a vu le chien, elle en a pratiquement fait une dépression, malgré notre promesse d'obtenir de très bonnes notes à l'école. De toute évidence, elle ne voyait pas les choses comme nous. À l'époque, nous étions deux jeunes adolescentes et nous la trouvions vraiment négative. Mais aujourd'hui, avec le recul, je confirme que c'était une sainte! Un jour d'été, alors que je venais de sauter dans la piscine, j'ai entendu un second plouf. Surprise, je me suis retournée. Mon gros ours en peluche nageait à ma rescousse, juste derrière moi! Avant que j'aie le temps de réagir, j'ai entendu ma mère crier: « Pas dans la piscine! », mais il était trop tard. Les terre-neuviens sont d'excellents nageurs, et ils ont l'instinct d'une bouée de sauvetage. La nature n'est-elle pas incroyable?

Avec chaque nouveau chien, je sentais que je m'approchais de plus en plus de mon rêve d'obtenir un saint bernard. Après avoir quitté la maison, quand j'étais célibataire, je ne pouvais toujours pas résister à un beau chien. Une fois, alors que je préparais un dessert sur une terrasse avec un ami, je me suis exclamée: « Oooh, il est trooooop beau! » Mon ami s'est retourné à la recherche d'un bel homme, pour découvrir finalement que je parlais d'un chien.

KAYLA

Les années ont passé. Je me suis mariée. J'ai eu un enfant, et maintenant c'était à mon tour d'avoir un chien. Quelqu'un m'a dit que parfois nous obtenons un animal de compagnie pour combler un vide. Je suppose que c'est vrai. J'espérais toujours avoir un deuxième enfant, et mon souhait n'a jamais été exaucé. Alors, oui, Kayla a comblé un vide, mais aujourd'hui elle fait partie de la famille.

Je voulais un chien, mais je ne voulais pas vivre la perte d'un chien. Je me suis dit qu'un jour, quand j'aurais le courage de supporter cette perte, j'en aurais un. Ce souhait demeurait quelque part dans le fond de ma tête et dans celle de mon mari. D'ailleurs, dans la longue liste de critères de ce que je recherchais chez un futur mari, il y avait: « Doit aimer les chiens ». Nous avons convenu de n'avoir le chien que lorsque le moment serait venu.

Un soir, nous sommes allés voir *Marley & Me*, l'histoire vraie d'un journaliste qui écrivait sur les aventures qu'il vivait avec son chien. Ce film nous a donné de l'espoir et du courage. À la fin du film, l'auteur nous fait comprendre qu'il est difficile de perdre un chien, mais que d'un autre côté, ils nous apportent tellement. C'est ce soir-là, en quittant la salle de cinéma, que nous avons décidé que nous aurions un chien à l'été. C'était en janvier. Nous avions du temps. J'ai commencé à chercher, mais je ne trouvais que des petits chiens et j'en voulais un grand. J'en voulais un qui pourrait jouer avec mon fils et s'assurer qu'il était en sécurité, mais qui ne ferait pas peur à nos invités.

Mon ami Jonathan vit dans le Nord. Si vous cherchez quelque chose, il le trouve pour vous! Il m'étonne toujours. J'ai donc décidé de l'appeler et de lui demander s'il savait où je pouvais obtenir un chien pour l'été, un labrador mélangé à un berger allemand ou autre race. À ma grande surprise, il m'a répondu oui! Il est venu me voir avec douze adorables chiots labernois (un mélange entre le labrador et le bouvier bernois). Je les aurais tous pris! Mais je suis tombée amoureuse d'un en particulier, une femelle. Elle est venue me mordre les doigts. On dit que les chiens nous choisissent, et c'est ce qui est arrivé, elle m'a choisie. Alors nous l'avons adoptée! J'ai décidé de l'appeler Kayla, en hommage à Kay, le chevalier préféré du roi Arthur, membre de la Table ronde.

Le côté labrador du labernois est celui qui veut toujours jouer. Le côté bernois est l'origine suisse qui en fait de vrais chiens de montagne, vraiment proches des saint-bernards, tout comme Belle et Georges! Kayla aime jouer au frisbee et trouver des biscuits ou des amis cachés. Elle aurait fait un chien-guide fantastique.

Quand mon fils avait peur tout seul dans sa chambre, elle s'allongeait sur le sol à côté de son lit. Se sentant en sécurité, il finissait par s'endormir. Il aimait s'amuser dehors avec elle dans la neige. Ils jouaient à cache cache, et Kayla le trouvait à chaque fois. Elle a appris une multitude d'astuces en un rien de temps. Elle a soif d'apprendre.

Si nous la laissons seule à l'extérieur, elle nous attend. Elle m'apaise et m'aide à me sentir bien. Je marche avec elle tous les matins. Grâce à elle, je suis en forme et de bonne humeur. Grâce à elle, je prends le temps de m'arrêter pour regarder la nature autour de moi. C'est une bonne enseignante. Nous pouvons apprendre beaucoup des chiens. Parfois, ils nous aident à nous comprendre nous-mêmes.

Dans la période de stress que nous traversons à cause de la pandémie, mon mari m'a souvent dit que, quand il a des réunions importantes, le fait d'avoir Kayla qui se repose à ses pieds lui fait du bien. Et je ressens la même chose. Elle a une présence et une intelligence bien différentes des nôtres. Elle est notre coach anti-stress. Elle est bonne pour le moral et pour le cœur.

La vie est drôlement faite. Dans mon enfance, je rêvais d'avoir un chien comme Belle ou Georges, et Kayla est un mélange parfait des deux. Est-ce juste une coïncidence? Ou n'est-ce pas plutôt un exemple parfait de l'influence que les émissions de télévision de notre enfance peuvent avoir sur nos décisions? À moins que mon attirance pour les gros chiens soit quelque chose que j'ai hérité de mon père?

Quand je me demande ce qui me rend heureuse dans la vie, je me dis que c'est l'amour: une famille, de bons amis, une maison et un chien. Maintenant, Kayla a treize ans, elle est un peu plus fatiguée qu'avant. Mais quand je l'emmène au lac, et qu'elle court pour attraper un bâton, on pourrait penser qu'elle n'a que deux ans. Et quand je la regarde, j'ai l'impression d'avoir deux ans moi aussi!

ET VOUS?

Avez-vous des souvenirs d'un animal de compagnie de votre enfance qui a rendu votre vie un peu meilleure? Quels types d'animaux de compagnie aimez-vous? Si vous en avez, comment les avez-vous choisis, et qu'est-ce qu'ils apportent à votre vie?

CHAPITRE 16

POUR LE MEILLEUR ET POUR LE PIRE

Quand on sera vieux, je te dirai: tu vois que tu étais l'amour de ma vie!

—ANONYME

BANDE SONORE

J't'aime tout court • NICOLA CICCONE
Une chance qu'on s'a • JEAN-PIERRE FERLAND
J't'aime pas j't'adore • NICOLA CICCONE
N'oublie jamais • RAYMOND BERTHIAUME
Ils s'aiment • DANIEL LAVOIE
Et si tu n'existais pas • JOE DASSIN
La maladie d'amour • MICHEL SARDOU
Pour vivre ensemble • CHANTAL PARY
Je l'aime à mourir • FRANCIS CABREL
Ma préférence • JULIEN CLERC
Je te promets • JOHNNY HALLYDAY
Hymne à l'amour • ÉDITH PIAF
Si t'étais là • LOUANE
Viens on s'aime • SLIMANE
La chanson des vieux amants • JACQUES BREL

Il arrive, quand nos parents nous quittent, de perdre de vue des membres de notre famille, pourtant c'est la dernière chose qu'on devrait faire car plusieurs peuvent nous inspirer pour la vie.

2021. Nous sommes en pleine pandémie. Elle a 87 ans et a été témoin de l'AVC de son mari. Elle panique. Son cœur s'arrête. Les ambulanciers arrivent. Ils l'emmènent. Elle ne peut l'accompagner. Covid oblige. Il doit partir et elle doit attendre seule, pour savoir ce qui se passe. Ce sont les plus longues heures, les plus longs jours, de leur vie. Elle a toujours été définie par sa force de caractère, mais à ce moment-ci, elle se sent comme une enfant vulnérable.

Soixante-cinq ans à vivre ensemble. Ils ont travaillé ensemble, élevé leurs enfants ensemble, même combattu un cancer ensemble. Ils ont vécu les plus beaux moments et ont fait bien des deuils main dans la main! Pratiquement toutes les nuits de leur vie, ils les ont passées ensemble. Et puis là, il se peut que ce soient des étrangers qui décident de leur sort.

Ils se sont rencontrés, ils avaient tous les deux vingt ans. Il travaillait dans l'aviation. Il venait d'une famille nombreuse de dix enfants. Elle avait quelques mois de moins que lui, elle avait vu et vécu quelques horreurs. Il a été séduit par sa beauté et surtout par son franc-parler. Elle adorait ses yeux bleus perçants, son sens de l'humour et sa force tranquille. Difficile de résister à un homme en uniforme d'aviateur! Ils se sont mariés six mois après leur première rencontre! Ils ont eu trois beaux garçons dont ils sont très fiers. Ils ont même des petits-enfants.

Elle les a aimés, lui et sa famille. Ils l'ont accueillie à bras ouverts. Rose et Georges l'aimaient beaucoup et elle leur rendait bien.

Le téléphone sonne. C'est officiel, il a fait un AVC. Pas facile à prendre comme nouvelle. Que de questions. Pourra-t-il retrouver son indépendance? Pourra-t-il marcher? Parler? La reconnaître? Revenir à la maison?

Elle ira le visiter. Un autre défi, rentrer seule et repartir seule. Pas facile de devoir garder ses distances et d'arriver à se comprendre avec des masques et un costume ressemblant à celui d'un cosmonaute. Pas facile d'essayer d'expliquer à des jeunes que ce monsieur n'est pas un « vieux », mais un homme extraordinaire.

Elle l'appelle son chum, depuis soixante-cinq ans. Elle n'a jamais aimé l'expression « mari », trop sévère, trop ancien. C'est vrai que si vous ne les connaissez pas et que vous les rencontrez dans un hôpital, vous allez sauter à la conclusion qu'ils sont âgés, mais en réalité ils sont souvent encore comme deux adolescents amoureux!

Les années les ont abîmés un peu. Ils ont des rides, des cheveux blancs, mais surtout des esprits vifs et une sagesse de vie extraordinaire. Ils peuvent vous faire rire aux éclats et vous donner des conseils en or.

Il a de la misère à marcher, à parler, mais quand il la voit entrer dans sa chambre, la vie lui revient. La force lui revient. C'est fort, l'amour.

Elle parlera avec les médecins. Ils lui feront jouer le même disque qu'aux autres patients du même âge. « Vous savez, madame, vous ne pourrez pas le ramener chez vous… ». Ils vont essayer de la décourager. Ils vont même lui annoncer que son mari sera déménagé à la fin de la semaine dans un centre d'où il ne sortira jamais. Une fois dans ce centre, elle aura droit de le visiter une fois par semaine avec masque et costume de cosmonaute. Elle rage!

Elle aura des rencontres avec des spécialistes. Ça peut être impressionnant, insécurisant d'être face à des spécialistes. La santé, c'est leur domaine. Des études, ils en ont fait plus que tout le monde. On leur donne souvent carte blanche sans poser de questions. En plus, quand ils annoncent leur diagnostic et que c'est positif, on est souvent envahi d'émotions. On n'arrive pas à penser. Alors on les laisse prendre les décisions pour nous. On devient des petits agneaux et l'on suit.

Mais ils ne la connaissent pas. Ils voient quatre-vingt-sept ans et s'imaginent une femme âgée et frêle. Attention, comme une lionne, elle défendra son amoureux et sa liberté. Comme Rose l'a fait pour ses enfants.

Le disque, la chanson, le discours sur la vieillesse et le « comment c'est possible », elle ne l'écoute pas. Elle l'interrompt. Elle s'exclame: « Vous, occupez-vous de le faire marcher et moi je m'occupe de lui donner de l'amour et tout le reste, mais chez moi!!! »

Elle donnera une leçon de vie à chacun de ces grands spécialistes qui en sortiront grandis et bouche bée. Ils auront appris une leçon qu'on n'enseigne pas dans les meilleures universités même si l'on y reste dix ans! Chaque personne est unique, chaque personne a une histoire qu'il faut écouter, mais surtout: l'amour c'est le plus fort!

Elle a gagné: elle a sorti son amoureux de l'hôpital vendredi. Il ne marche pas aussi vite qu'avant, mais il fait du progrès tous les jours. Il est tellement heureux d'être dans sa maison, sur son sofa et dans les bras de sa blonde. Ce soir, comme tous les soirs, ils vont dormir en cuillère et peut-être rêver à leur première danse sur la musique de *N'oublie jamais le jour où l'on s'est connu*. Demain au lever, ce ne sera pas facile, toute une adaptation à venir, mais ils ont quatre-vingt-sept ans, ils en ont vu d'autres et surtout ils foncent ensemble.

Si jamais vous les croisez dans la rue, vous allez voir leurs rides, leurs cheveux gris, leur marche lente et vous penserez qu'ils sont fragiles, mais détrompez-vous! Être fort, ça se passe en dedans, dans la tête et dans le cœur. Cette force, ils l'ont puisée dans leur jeunesse, ils l'ont bâtie à travers les années et les difficultés. Cette force, c'est l'amour. Soixante-cinq ans d'amour!

Elle c'est Yolande, c'est ma tante, lui c'est Claude, mon oncle, le petit frère de ma mère. Je les aime. Je suis fière de ma tante qui a imposé ses valeurs avec conviction pour l'amour de son mari, dans un monde en urgence qui fonctionne souvent mécaniquement en oubliant l'humain. Elle n'a reculé devant rien: ni devant ses peurs, ni devant des soi-disant experts, ni devant les difficultés. Peut-être aurions-nous un meilleur monde si chacun avait des valeurs aussi solides…

Vive les gens qui défient les « statu quo » et vive l'amour!

La vie est faite de choix, dont certains sont plus difficiles que d'autres.

Un mariage heureux dépend de trois choses: des souvenirs d'unité, le pardon des erreurs et une promesse de ne jamais abandonner l'autre. Cette dernière leçon, Yolande l'a mise en pratique.

Ne laissez pas les autres dicter votre vie. Pensez à Yolande, foncez et défoncez les portes et les règles, surtout pour les gens que vous aimez. Oui, il y a toujours moyen de faire autrement et de puiser dans sa force intérieure, même quand on pense qu'il n'en reste plus.

Dans la période difficile que nous traversons, que vous ayez vingt ans ou quatre-vingt-dix, je vous souhaite d'ouvrir votre cœur. J'espère que vous aussi vous avez un *chum*, une blonde, un ami, un frère, une sœur, un cousin, un neveu, un voisin… quelqu'un qui se bat bec et ongles et prêt à déplacer des montagnes par amour pour vous.

Parfois les leçons de vie nous viennent de nos parents, parfois elles viennent d'un oncle et d'une tante qui s'aiment!

Collectionnons les histoires humaines qui apportent du baume à notre cœur.

ET VOUS?

Y a-t-il un couple dans votre vie qui est un modèle pour vous? Un couple qui vous inspire et dont le mariage est exemplaire? Deux personnes qui s'aiment dans la vieillesse autant sinon plus que dans leur jeunesse? Avez-vous une Yolande autour de vous qui décrocherait la lune et se battrait pour vous? Je vous le souhaite!

CHAPITRE 17

AU REVOIR, MAMAN

Tu n'es plus là où tu étais mais tu es partout où je suis.

—Victor Hugo

BANDE SONORE

C'est ma vie • ADAMO
Si Dieu existe • CLAUDE DUBOIS
Hier encore • CHARLES AZNAVOUR
Une enfant • CHARLES AZNAVOUR
Le temps • CHARLES AZNAVOUR
Le petit roi • JEAN-PIERRE FERLAND
Et maintenant • GILBERT BÉCAUD
Je reviens te chercher • GILBERT BÉCAUD
L'important c'est la rose • GILBERT BÉCAUD
Quand on n'a que l'amour • JACQUES BREL
La valse à mille temps • JACQUES BREL
Ma préférence • JULIEN CLERC
Non, je ne regrette rien • ÉDITH PIAF
L'été indien • JOE DASSIN
Chanson sur ma drôle de vie • VÉRONIQUE SANSON
Comment te dire adieu • FRANÇOISE HARDY
Frédéric • CLAUDE LÉVEILLÉE
Paroles, paroles • DALIDA ET ALAIN DELON
Sous le ciel de Paris • YVES MONTAND
Évidemment • FRANCE GALL
Une belle histoire • MICHEL FUGAIN
Je t'aimais, je t'aime, je t'aimerai • FRANCIS CABREL
Belle • DANIEL LAVOIE, GAROU ET PATRICK FIORI
Mommy • PAULINE JULIEN
Il suffirait de presque rien • SERGE REGGIANI
Il suffirait de presque rien • ISABELLE BOULAY
Si jamais j'oublie • ZAZ
Ave Maria • CÉLINE DION

Vendredi 13 novembre… 2009. Quelle année! Mes idoles d'adolescence, Michael Jackson et Farrah Fawcett, ont disparu. La fièvre Obama bat son plein. Mais pour moi, c'est l'une des plus dures années de ma vie pour une tout autre raison. Avant d'y arriver, laissez-moi vous parler de Gisèle.

Gisèle, c'est ma mère. Née à Pointe-aux-Trembles. Comme je l'ai mentionné précédemment, elle était l'aînée de dix enfants. Elle avait de beaux yeux pers parfois bleus, parfois verts, parfois gris, mais toujours perçants!

Elle aimait beaucoup les enfants. Heureusement, car une bonne partie de son temps elle l'a passé à s'occuper de ses frères et sœurs. Étant l'aînée, elle devait donner le bon exemple et être responsable!

Tous les soirs, elle préparait un bon repas, car elle trouvait important notre souper en famille. Tous les matins pour le petit-déjeuner, toutes les céréales étaient sorties sur une belle table avec le jus d'orange fraîchement pressé. Des fois même avec une petite note « Bonne chance dans ton examen aujourd'hui! ».

C'était bien important que ses filles soient en bonne santé, alors elle était une des pionnières de l'achat de pain brun et des céréales santé Swiss. Si l'on était chanceuses (pas vraiment), elle nous faisait un bon jus santé avec son extracteur à jus: pomme-carotte-céleri. Ah, il ne faut pas oublier la grosse cuillerée d'huile de foie de morue pour finaliser ce cocktail santé! (eurk!)

Elle avait un cœur d'or. Elle recevait ses amis, nos amis, la famille… tout le monde était toujours bienvenu.

Pour les concours de costumes d'Halloween à l'école, elle a souvent passé des nuits à coudre. Je ne gagnais pas souvent, car les costumes de Gisèle étaient si bien faits qu'on les croyait loués! J'ai donc incarné une bouteille de 7UP, une moufette (ouais, je sais) et Kermit la grenouille de Sesame Street entre autres. Elle aurait probablement été une excellente designer, mais elle a choisi d'être notre mère.

Elle a toujours eu une santé de fer. Je ne sais pas si c'était grâce à l'huile de foie de morue, de la mélasse ou de l'ail qu'elle mettait partout. Est-ce que je vous ai dit qu'elle cuisinait merveilleusement bien?

Elle faisait la gentille rigolote, mais une fois assise à la table de bridge avec les *femmes*, elle surprenait souvent en gagnant la première place!

J'ai adoré cette femme. C'est pour cette raison qu'en 2009, je lui ai consacré tout mon temps. Pas toujours facile quand tu as un enfant de huit ans. C'était important pour moi de vous peindre son portrait, car quand on parle d'une dame de quatre-vingts ans, souvent on imagine une personne âgée sans importance. C'est rarement le cas. Les personnes âgées sont souvent des jeunes personnes prisonnières d'un vieux corps qui ne reflète pas la jeunesse de leur cœur.

En 2008-2009, j'ai déménagé ma mère quatre fois. J'ai visité l'hôpital avec elle et j'ai arrêté de compter le nombre de fois. On lui avait diagnostiqué l'alzheimer. Comme si ce n'était pas assez, son cancer du sein a récidivé. J'étais brûlée, épuisée, et mes sœurs aussi. Mon cœur était en mille morceaux. Le médecin lui donnait de trois à six mois à vivre. Je ne pouvais imaginer ne plus la voir. Mais je m'estimais chanceuse de pouvoir être avec elle tous les jours. Je restais très forte devant elle, même si j'imaginais toujours le pire. Je prenais toujours une grande respiration avant d'entrer dans la résidence et pourtant. Croyez-le ou non, même à l'approche de sa mort, j'ai vécu les moments les plus purs avec elle. Il y avait une connexion extraordinaire entre nous.

Je suis triste de l'avouer, mais je pense que souvent, quand elle n'était pas malade, je la tenais pour acquise. Elle avait toujours été tellement en bonne santé et elle avait encore des petites joues roses que j'imaginais qu'elle allait certainement vivre jusqu'à quatre-vingt-dix, cent ans. Alors j'étais souvent pressée, parfois impatiente, pas vraiment présente. Mais là, maintenant que je savais que ses jours étaient comptés, elle avait toute mon attention.

J'avais peur d'entrer dans son appartement, mais une fois là, je ne voulais plus la quitter. Souvent, elle dormait dans sa chambre et je restais dans la pièce à côté. Je restais aussi souvent près d'elle à écrire. J'avais l'impression que je ne faisais rien et pourtant le temps passait si vite. Je voulais qu'il s'arrête. Une des dernières fois où j'ai été avec elle, j'avais l'impression d'être avec mon enfant. Je me suis couchée à ses côtés en la gardant dans mes bras. Elle ne parlait presque pas. Cette fois-là, elle m'a dit doucement « ça fait du bien ». C'était un beau cadeau. Une autre fois, on s'est regardées, et j'ai senti plein d'amour dans ses yeux, elle m'a fait un beau sourire et m'a dit « ma Zabeth », le surnom qu'elle me donnait petite. J'ai eu un flashback, je me suis sentie comme si j'avais cinq ans. Un amour incroyable m'a envahie. Elle était bien là, Gisèle, elle était bien là, ma mère.

Le vendredi 13, quelques minutes avant minuit, elle s'est éteinte. Elle m'a tout donné et à mon tour j'ai essayé de tout lui donner. On a fait le tour de notre amour.

Aujourd'hui, c'est le vendredi 13, 2020.

Ma sœur me demandait si j'étais triste. La réponse est non. C'est certain que j'aurais voulu garder ma mère pour toujours, mais on sait que ce n'est pas possible. C'est le cycle de la vie. Avec le temps, on comprend et on l'accepte.

On attache beaucoup d'importance aux derniers moments de vie, mais ce qui compte c'est l'héritage qu'un parent nous laisse: les bons souvenirs, les petits moments de bonheur, l'amour qu'on a ressenti, les bons repas qu'on a partagés, les leçons de vie, les valeurs qu'on transmettra et les traditions qui se poursuivront dans la prochaine génération.

Non, je ne suis pas triste parce que je la sens toujours là. Je commence ma journée avec sa voix – *n'oublie pas ton petit-déjeuner, c'est le repas le plus important de la journée* – et étrangement je me retrouve à le répéter à mon tour à mon fils! Toute la journée, j'entends sa voix.

Elle est toujours là. Dans ma routine de tous les jours, à travers mes sœurs, ses sœurs, mes neveux, mon fils. Dans chaque repas que je prépare, je me vois avec elle dans sa cuisine, elle si heureuse à l'idée de rassembler tout le monde autour de ses bons plats et sa belle table.

On ne meurt pas. Il y a une partie de l'énergie des gens qu'on a aimés qui reste. Je ne comprends pas tout, mais je sais que tant qu'il y a de l'amour on ne meurt jamais!

ET VOUS?

Quelle a été la conversation la plus authentique que vous ayez jamais eue avec l'un ou l'autre de vos parents? Une conversation où vous aviez vraiment l'impression d'être arrivé au cœur de qui ils étaient? Êtes-vous souvent impatient avec eux? Avez-vous déjà senti une énergie d'amour pur lorsque vous vous connectiez à un membre de votre famille?

CHAPITRE 18

LE CYCLE DE LA VIE

Toute naissance est la renaissance d'un ancêtre.

—Proverbe africain

BANDE SONORE

Je serai là pour toi • GINO QUILICO
Don't Blink • KENNY CHESNEY
I Hope You Dance • LEE ANN WOMACK
93 Million Miles • JASON MRAZ
Stand By Me • BEN E. KING
In My Life • THE BEATLES
Teach Your Children • CROSBY, STILLS, NASH & YOUNG
You're Beautiful • JAMES BLUNT
1973 • JAMES BLUNT
Take Me to Church • HOZIER
House of Gold • TWENTY ONE PILOTS
Superman (It's Not Easy) • FIVE FOR FIGHTING
Prendre un enfant • NANA MOUSKOURI ET YVES DUTEIL
L'escalier • PAUL PICHÉ
Hallelujah • LEONARD COHEN
Love Generation • BOB SINCLAR

Il y a vingt ans, à 3h08 du matin, j'ai donné naissance à mon fils. Incroyable. Je ne pouvais pas imaginer que quelqu'un m'appelle maman. J'ai été la fille de quelqu'un toute ma vie, la sœur, l'amie, la petite amie, Elizabeth, Zabeth, Babeth, mais jamais maman.

Cela me semblait incroyable, même si je le voulais de tout mon cœur. J'avais l'impression que j'allais sauter dans une autre dimension. J'avais hâte que cette petite chose m'appelle maman. J'avais hâte qu'il communique avec moi. Aujourd'hui, il n'a aucun problème à communiquer. « Mooooom, je vais sortir! » « Mooooom, où as-tu mis mes affaires? » J'ai vraiment l'impression que mon passé est dans une autre vie. Même mon fils a beaucoup de mal à imaginer que j'ai déjà été autre chose que sa mère. Et pourtant…

Cela fait plus de vingt-trois ans que Martin et moi sommes ensemble. Nous avons emménagé ensemble après notre troisième rendez-vous. Coup de foudre. Après nos fiançailles, nous avons décidé que nous étions prêts pour la prochaine étape: une famille. Je suis tombée enceinte presque aussitôt que j'y ai pensé!

Dans le miroir de la salle de bain, écrit avec un rouge à lèvres rouge, j'avais adressé un message à Martin: *Félicitations papa!* Nous étions très heureux. Personne n'était au courant au début. C'était en février. J'ai perdu le bébé après quelques semaines. J'ai pleuré toutes les larmes de mon corps. Que se passe-t-il si je n'ai plus jamais d'enfant? J'ai ressenti tellement d'anxiété! Le médecin m'a dit que le corps humain était bien fait. Il devait y avoir quelque chose qui n'allait pas avec le bébé, donc mon corps s'en était occupé. Il devait avoir raison parce que lors de la tentative suivante, quelques semaines plus tard, je suis tombée enceinte à nouveau.

Nous avons attendu trois mois avant de l'annoncer avec une boîte contenant deux petites chaussures pour bébé comme indice lors d'un dîner à la maison familiale, autour de la même table sur laquelle j'écris en ce moment! C'était le bonheur. J'ai hésité entre deux noms, Christophe et Charles (pour Charles Aznavour). Il a fini par être Charles, une grande joie pour grand-mère Gisèle qui adorait Aznavour!

Être enceinte m'allait bien. J'étais heureuse. Il y a quelque chose de magique à créer une vie, à l'amener de la taille d'un pois à la formation complète d'un être humain. Ma grossesse elle-même a été facile. Ce qui se passait autour de moi, par contre, pas vraiment.

Un beau jour d'été, alors que je faisais des courses, j'ai reçu un appel d'urgence de mes sœurs: « Elizabeth, peux-tu venir tout de suite? Papa n'est pas bien. Il agit bizarrement. » Je pouvais entendre la panique dans leurs voix. Je me suis précipitée. Mon père, mon Superman, mon pilier! Que se passait-il? Je suis arrivée sur la terrasse. Mes sœurs m'ont expliqué que papa ne pouvait plus ouvrir une porte, qu'il ne savait plus comment fonctionnait la télécommande de la télévision ou comment faire un appel téléphonique.

Heureusement, j'ai eu un rendez-vous d'urgence avec un neurologue. Je me suis précipitée là-bas avec papa. Je ne voulais pas qu'il souffre. Je répondais à toutes les questions pour lui jusqu'à ce que le médecin me dise: « Madame, laissez-le répondre. Bonjour, M. Péladeau, savez-vous quel jour c'est? »

« Non », a dit papa.

« Quel âge avez-vous? »

Mon père a souri. Il n'en avait aucune idée, mais il savait qu'il aimerait bien être plus jeune. Il m'a regardée, a fixé le médecin puis a répondu: « Cinquante ans! » C'était triste mais drôle à la fois, parce que mon père avait quatre-vingt-deux ans. Du jour au lendemain, il avait trente ans de moins. Nous avons tous les trois éclaté de rire. Le stress a diminué. Le médecin a confirmé que papa avait eu un accident vasculaire cérébral. Il était entre de bonnes mains. Nous avons dû aller à l'hôpital le plus tôt possible pour lui donner un traitement. Puis, je l'ai ramené chez lui. Il devait commencer sa réadaptation le lendemain.

En rentrant chez moi, par le tunnel de Dorval, je me suis mise à pleurer. Mon père était un homme fort. J'étais convaincue qu'il vivrait au moins jusqu'à ce qu'il ait cent ans, encore vingt ans quoi! Mon père était un fonceur, un homme fort, physiquement et mentalement. Mais ce jour-là, j'ai vu qu'il n'était pas, en fait, Superman. C'est ce que les pères représentent souvent pour leurs filles. J'allais le perdre. Je ne pouvais pas imaginer survivre à cette épreuve. Je pleurais et je me frottais le ventre, je parlais à mon bébé, je lui disais que j'espérais qu'un jour, nous aurions le même lien fort. Je me sentais seule mais grâce à lui, je n'étais pas si seule.

Les semaines ont passé. J'ai reçu un appel de l'infirmière

en réadaptation qui avait mon nom sur sa liste comme contact d'urgence. Elle voulait que je parle à mon père pour lui dire qu'il ne pourrait plus jouer au bridge ou conduire sa voiture.

Mon père refusait d'y croire. Il avait une tête de cochon, donc si je lui disais qu'il ne pouvait pas conduire, il ne m'écouterait pas. Pourquoi même se donner la peine d'essayer de le convaincre? Si c'était vrai, il le verrait par lui-même. Eh bien, il s'est avéré que l'infirmière avait tort, et mon père avait raison. *Quand on veut on peut* était le dicton préféré de mon père. Et de la volonté il en avait! Il a échoué à son examen de permis de conduire au premier essai. Il est retourné et a réussi la deuxième fois. Il avait repris le volant de sa voiture et jouait à nouveau au bridge, malgré un accident vasculaire cérébral, malgré son âge avancé. C'était le genre d'homme que mon père était.

Quand mon fils est né, mon mari a pris trois semaines de congé. C'était magique. Nous étions dans notre propre petit monde. Nous passions nos journées à manger, à faire une sieste, à allaiter (moi!!) et à admirer tous les petits gestes de notre bébé.

Quand le mois de janvier est arrivé, c'est devenu plus difficile. Martin est retourné au travail. J'étais seule dans l'appartement avec le bébé, sans aucun visiteur. Il était difficile de marcher autour des bancs de neige, dans le froid. Martin partait tôt le matin et rentrait tard le soir, fatigué et brûlé. Les *vacances de bébé* étaient terminées.

J'ai décidé d'aller rendre visite à mes parents en Floride. C'était le paradis, ensoleillé et chaud. Ma mère adorait m'aider avec Charlie. Elle m'a servi des assiettes de fruits que j'ai mangées en regardant la mer. J'ai été gâtée. Ma mère berçait Charles avec un grand bonheur. Je pouvais respirer un peu. Mon père n'a pas tenu mon fils. Il avait trop peur de l'échapper. Mais il le regardait durant des heures. Un jour, je l'ai trouvé en train de le fixer avec un regard profond, comme s'ils se parlaient tous les deux en pensée. J'ai demandé à papa à quoi il réfléchissait, et il a répondu: « La vie. Je suis à la fin de la mienne et Charlie ne fait que commencer la sienne. » Mon cœur s'est brisé. J'avais une boule dans la gorge. Je ne savais plus quoi dire.

Parfois, pendant la journée, je conduisais papa à ses leçons de golf. Je restais dans la voiture avec Charles et j'attendais. Je le regardais balancer ses bâtons, frapper sa balle, et je me disais: « C'est incroyable à quel point j'aime cet homme, qui veut toujours aller de l'avant, qui apprend toujours. » Et je me sentais débordée de l'amour que j'avais pour mon père et de l'amour que j'avais pour mon fils juste à côté de moi. J'espérais que Charlie ait quelques traits de caractère de son grand-père une fois grand.

Pendant ce voyage, papa m'a dit: « Tu sais, la vie est drôle. Il y a des cycles et des chapitres. Un jour, tu vois des amis et ils te demandent: *À quelle école vas-tu?...* Plus tard, c'est: *Es-tu marié?* Plus tard, c'est: *As-tu des enfants?* Plus tard encore: *Tu es à la retraite?* Et un jour, c'est: *Oh! T'es encore en vie?* »

Papa est décédé quand Charles avait à peine deux ans. Mon fils n'a pas appris à connaître son grand-père en personne, mais il a appris à le connaître à travers moi.

Depuis dix-neuf ans, je célèbre l'anniversaire de Charles avec toute notre famille, facilement vingt d'entre nous. Ce n'est plus dans ma maison d'enfance, mes parents ne sont plus là, mais nous mangeons toujours à la table où j'ai annoncé son arrivée, la même table où ma mère mettait la vaisselle pour célébrer mes anniversaires.

Il y a vingt ans, je ne pouvais imaginer que quelqu'un un jour m'appelle maman, et maintenant, dix-neuf ans plus tard, je ne peux pas imaginer que cette même personne ne m'appelle pas maman.

L'amour qu'on m'a donné toute ma vie a atteint un autre niveau, comme s'il avait fait un tour complet et uni le passé au présent et au futur, avec une énergie qui reste et dégage une certaine magie – mon égrégore!

ET VOUS?

Célébrez-vous tous les anniversaires, le vôtre et celui de ceux que vous aimez? Est-ce que vous ou votre famille avez une devise, un dicton que vous répétez souvent? Qu'est-ce qui vous fait regarder les gens autour de vous et penser « J'aime cette personne » ? Avez-vous déjà vécu une situation où vous vous sentiez comme un guerrier? Quel héritage non financier avez-vous acquis de vos parents? Quel héritage non matériel rêvez-vous de laisser à vos enfants? Y a-t-il des gens autour de vous pour qui vous sentez un amour inconditionnel? De quoi se compose votre égrégore?

ÉPILOGUE

LA CONNEXION

Tout est énergie et vibration.

—Albert Einstein

BANDE SONORE

Look for the Good • JASON MRAZ
Le bonheur • CORNEILLE
C'est la vie • COLLECTIF MÉTISSÉ
Levitating • DUA LIPA ET DABABY
Shoop • SALT-N-PEPA
Titanium • DAVID GUETTA ET SIA
Good Vibrations • MARKY MARK AND THE FUNKY BUNCH
Il est où le bonheur • CHRISTOPHE MAÉ
Hymn for the Weekend • COLDPLAY
Let's Groove • EARTH, WIND & FIRE
Born to Be Alive • PATRICK HERNANDEZ
Celebration • KOOL & THE GANG
Sexual Healing • MARVIN GAYE
Live is Life • OPUS
Gettin' Jiggy Wit It • WILL SMITH
Je joue de la musique • CALOGERO
Good Vibrations • THE BEACH BOYS
Danza Kuduro • DON OMAR
High on Life • MARTIN GARRIX ET BONN
Tatouage • PIERRE LAPOINTE
Lovely Day • BILL WITHERS
Je te laisserai des mots • PATRICK WATSON
All You Need Is Love • THE BEATLES

QUAND LES BONNES VIBRATIONS SE PERDENT

Nous passons tellement de temps sur la voie rapide de l'autoroute de la vie, roulant à une vitesse folle, sans but, prêt à perdre tout contrôle. Nous sommes tellement bombardés de publicités, d'émissions, d'idées, que nous devenons engourdis, et pour revenir à la vie, nous avons besoin d'un choc électrique. Parfois, c'est un voyage à l'hôpital, parfois c'est le monde entier qui s'arrête, tout en même temps.

Et si ces arrêts avaient une raison d'être pour nous ouvrir les yeux? Nous faire réfléchir? Quitter la voie rapide et conduire sur un chemin de campagne lentement pour admirer le paysage, chanter à tue-tête nos chansons préférées, réfléchir sur ce que nous avons manqué – la nature, les gens, les bons moments, les leçons et *nous-mêmes*?

Partir pour mieux revenir.

Si on partait, laissant derrière notre tête, et n'utilisant que notre cœur…

SURFER SUR LA VAGUE

Mai 2021. L'hiver a été dur à Montréal, interminable. Début du printemps et encore des précipitations. On rêve d'évasion. Le froid, la noirceur, les mauvaises nouvelles. Tout est lourd. On a envie de lumière. Mai, c'est le mois où tout renaît à Montréal après avoir dormi trop longtemps sous le poids de la neige et du froid. On a le goût nous aussi de faire comme la nature fait habituellement, soit revivre. Et voilà qu'un miracle nous frappe. Contre toute attente, malgré toutes les prédictions négatives des commentateurs et de tous les spécialistes de hockey, l'impossible se produit. Les Canadiens se mettent à gagner. Accumulant miracle après miracle. Tout le monde est branché sur son écran. Je n'avais pas suivi une joute depuis leur dernière victoire de la coupe en 1993. Mon fils ne me reconnaissait plus. Alors qu'on ne comptait que quelques fans ici et là, voilà que deux millions d'habitants de la ville arrêtent tout pour écouter. Comme si on pouvait leur porter chance pour une autre victoire, un autre miracle. Comme si de leur côté, ils nous portent chance. Comme si la synergie des bonnes années venait brasser les nouveaux joueurs. Comme si les fantômes du *Rocket* et de sa bande nous venaient en aide. Une certaine euphorie s'empare de la ville. Comme si nous étions tous branchés sur la même fréquence, la même énergie, la même longueur d'onde sur la glace et devant les écrans. Comme si on faisait tous partie de la même famille, comme si on ne faisait qu'un, comme si nous surfions tous sur le même égrégore de bonheur et d'espoir. Les Canadiens n'ont pas gagné la coupe Stanley cette année-là, mais ils nous ont ressuscités, ils ont fait battre nos cœurs. Ce printemps sera gravé à jamais dans nos mémoires et même dans nos égrégores collectifs et personnels.

LA CONNEXION

Juin 2020. Mon mari et moi avons été invités à une fête de homard dans notre rue. C'était une tradition. Chaque année, notre voisin JF invite un groupe de personnes sympathiques, un mélange d'amis et de voisins. Nous apportons des plats, chacun fait sa part financière et JF se charge d'acheter et de cuire les homards. C'est un hôte incroyable.

Cette année-là, la nourriture était excellente, tout comme la conversation. Nous avons été présentés à un nouveau couple drôle et charmant arrivé sur le tard, Isa et Pat. Ils ont beaucoup voyagé à travers le monde. Pat travaille pour l'entreprise familiale qui fabrique des guitares et les vend dans le monde entier – même Sting en a une! Isa me ressemble beaucoup. Elle aime son travail, faire des découvertes gastronomiques, recevoir des amis et écouter les dernières séries sur Netflix! Nous avons cliqué! À tel point que nous avons parlé jusqu'à deux heures du matin. Comme si nous étions sur la même *fréquence*, la même longueur d'onde.

Nous nous sommes promis de nous voir bientôt, ce que nous avons fait, puisque nous vivons à une minute l'une de l'autre. Dieu merci, parce qu'avec la Covid, nous n'avons pas eu la chance de voir beaucoup d'amis. La plupart d'entre eux sont issus de mon enfance et de mon adolescence. À mesure que nous vieillissons, nous sommes tellement pris par la routine: travail, famille, responsabilités… Cela laisse très peu de temps pour voir des amis et encore moins pour s'en faire de nouveaux. En plus, lorsque nous rencontrons quelqu'un, il n'y a aucune garantie d'une connexion. Inutile de dire que j'ai vécu un « béguin amical » comme ceux que je ressentais dans l'enfance. Le sentiment était mutuel. Je voulais tout savoir sur mes nouveaux amis.

L'anniversaire d'Isa approchait, et je voulais lui offrir un cadeau. Mais au fond, je savais très peu de choses sur elle. Alors, un jour, je me suis arrêtée chez elle, et tout en sirotant un verre de vin, je lui ai posé des tonnes de questions, tout comme les enfants le font souvent. Dommage que nous le fassions rarement une fois adultes parce que c'est amusant! Je lui ai demandé sa couleur préférée, son film préféré, tous ses favoris dans plusieurs domaines. Nous avons ri. En revenant, j'ai souri jusqu'à la maison.

Après cette rencontre, plusieurs questions m'assaillaient: de quand datait une telle conversation avec mes vieux amis? Quelle était leur couleur préférée? Leur film préféré? Alors que je creusais un peu plus mes pensées, d'autres questions sont venues: pourquoi j'ai une connexion instantanée avec certaines personnes et pas avec d'autres? Pourquoi y a-t-il des gens avec qui je suis amie depuis que j'ai cinq ans et d'autres avec qui je ne ressens aucun attachement? Oui, il faut avoir des goûts en commun, des valeurs familiales et sociales semblables, mais je pense qu'il y a quelque chose de plus profond qui se passe dans le subconscient, quelque chose de plus complexe. Peut-être pourrions-nous l'appeler *fréquence, synergie, énergie*? Un peu à la manière d'une radio, certains la captent, d'autres pas.

LUNETTES NOIRES

1992. J'ai un contrat pour travailler comme attachée de presse pour une rock star. Je l'accompagne pour une tournée médiatique. Il est tout de noir vêtu: lunettes, veste en cuir, pantalon, ceinture, t-shirt… Même sa voix, son teint et ses chansons sont sombres. Il me confie qu'il est à la recherche d'un nouvel appartement. Quelque chose qui n'avait pas beaucoup de lumière. Il affirmait que les gens qui aimaient les appartements éclairés le rendaient fou. Il avait besoin de ténèbres pour dormir, pour écrire, pour vivre! « Comment quelqu'un pourrait-il aimer la lumière? » a-t-il poursuivi. Il s'est plaint pendant toute l'heure du déjeuner. J'ai regardé ma montre, sauvée par la cloche! Il était temps de passer à la prochaine entrevue. J'ai pensé qu'il valait mieux ne pas lui faire savoir que le genre de personne qui aimait les appartements clairs avec beaucoup de lumière était assise juste en face de lui. De toute évidence, nous n'étions pas sur la même longueur d'onde.

C'est comme si chacun de nous voyait la vie différemment, selon les lunettes que nous portons. Certains portent des lunettes très sombres de sorte qu'ils voient l'obscurité à peu près partout. D'autres portent des lunettes roses, de sorte qu'ils ont tendance à voir la vie sous un jour plus positif.

Nous avons besoin à la fois des ténèbres et de la lumière. L'un nous fait apprécier l'autre. Nous avons besoin de journées ensoleillées et de journées pluvieuses, sinon la nature ne survivrait pas. Tout est une question d'équilibre.

Nous passons notre vie entre l'ombre et la lumière. Chaque jour, nous formulons 60 000 pensées. 80 % de ces pensées sont négatives. 95 % sont identiques. Facile de tomber dans le panneau. Cela demande tout un effort pour retenir le petit 20 % de positif, mais c'est capital.

Tous les matins, on recommence à neuf. C'est notre choix. On peut choisir dans le 80 % ou dans le 20 %. Puiser dans le 20 %, ce n'est pas toujours évident mais beaucoup plus gratifiant à la fin de la journée. Ça donne de l'énergie, du cœur au travail et pour les moments plus difficiles, de l'espoir.

TOUS ENSEMBLE: À L'UNISSON

Tout le monde a une raison d'être. Dans le football américain professionnel, vous avez besoin d'un bon entraîneur, capitaine, bonne attaque, défense, quart-arrière, joueurs de ligne, *running backs*... Même chose au hockey. Peu importe à quel point votre gardien de but est talentueux, il ne peut pas gagner tout seul; il a besoin de son équipe. Si vous voulez construire une maison, vous aurez besoin d'un architecte, d'un entrepreneur, d'un fournisseur de matériaux, d'un concepteur, d'un plombier, d'un électricien, etc.! Si vous voulez faire un film à succès comme *Star Wars*, *Dune*, *Avatar* ou *C.R.A.Z.Y.*, vous aurez besoin d'un grand réalisateur, mais aussi de grands acteurs, d'une grande musique, de grands concepteurs de costumes, de grands éditeurs et de tant d'autres personnes en arrière-plan dont vous n'entendrez jamais parler mais qui jouent un rôle essentiel. Il suffit de regarder les discours de remerciements aux Oscars pour réaliser comment la réussite d'une vedette dépend de plusieurs autres personnes, de toute une équipe.

Nous parlons rarement d'énergie ou d'éléments de magie dans nos vies. Nous laissons cela au monde spirituel. Mais si un homme brillant, un scientifique comme Einstein a reconnu il y a soixante-dix ans que tout est vibration, pourquoi ne le pouvons-nous pas? La vibration n'est-elle pas partout autour de nous?

Tiger Woods porte presque toujours un chandail rouge pour la ronde finale d'un tournoi; une superstition qui vient de sa mère qui croit que le rouge représente le pouvoir. Michael Jordan, le meilleur joueur de basket-ball de tous les temps, portait toujours son short UNC sous ses shorts NBA pour la chance. Serena Williams ne change pas de chaussettes une seule fois pendant un tournoi. Wade Boggs, célèbre joueur de baseball pour les Red Sox et les Yankees, dessinait le mot « Chai » dans la saleté (hébreu pour « vie ») avant de venir au bâton. La fameuse barbe chanceuse de Björn Borg, le grand joueur de tennis des années quatre-vingt, est l'une des superstitions les plus célèbres de l'histoire du sport.

L'un des plus grands gardiens de but de l'histoire de la LNH, Patrick Roy, croyait fermement au pouvoir de la superstition. L'ancien Canadien de Montréal patinait vers l'arrière en direction du filet et se retournait à la dernière seconde, un geste qui, selon lui, faisait *rétrécir* le filet. Pendant le match, il parlait à ses poteaux, les remerciant lorsqu'une rondelle était déviée et les touchant souvent. Cette relation presque spirituelle avec son but lui a valu le surnom de Saint-Patrick et trois trophées Conn Smythe (meilleur gardien). Cette même pratique déborde aussi dans le monde artistique. Anthony Kavanagh (humoriste) embrasse sa main et touche la scène avant d'y monter. Chris Martin (Coldplay) doit effectuer dix-huit rituels avant de performer en spectacle. Est-ce possible que toutes ces routines soient une façon de se concentrer sur une bonne énergie? Se brancher sur une fréquence plus haute?

MON ESSENCE, MA FRÉQUENCE, MON ÉNERGIE

Mon égrégore est complexe, pratiquement impossible à décrire car il faut le vivre. Il puise ses origines à travers moi. Un être humain est si complexe, avec des influences qui viennent de partout. Comme un cocktail de vibrations hautes en émotions, de connexions avec des gens extraordinaires, de petits et de grands bonheurs, de moments sombres et lumineux, mais il est surtout composé d'un acquis de valeurs fortes, d'expériences enrichissantes, de souvenirs et surtout pour moi, de l'héritage de Jean et Gisèle, de tous ceux avant et ceux autour, de leurs choix, leurs exemples. Tant de gens ont un impact sur ma vie par leurs actions, leurs croyances, et peut-être même par leurs rêves et leurs pensées.

Mon égrégore est surtout positif et il évolue tous les jours. Je l'ai ressenti en puissance… en voiture en chantant avec mon père, ma mère, mon mari, mon fils, quand on chantait au camp à l'unisson devant le feu qui crépitait, quand j'ai aperçu l'océan pour la première fois au Portugal en compagnie de mes nouveaux amis qui m'hébergeaient, quand j'ai embrassé mon mari pour la première fois sous la pluie, quand je pédalais à toute vitesse avec mes deux meilleures amies pour déguster une crème glacée, quand je dansais avec Paul sur le rythme de la chanson *Freedom* de George Michael (on se regardait comme drogués de bonheur), quand je célèbre l'anniversaire des gens que j'aime autour d'une bonne bouffe et d'une belle table… La liste est longue. J'ai vécu des moments purs auxquels je ne m'attendais pas ou que je n'avais pas planifiés. Ce sont ces moments, ces mini-égrégores, auxquels nous ne prêtons généralement pas attention mais qui finissent par être gravés dans notre mémoire et nous enrichissent.

Qui que vous soyez, vous pouvez avoir toute la formation et les connaissances dans le sport, les affaires ou la vie, mais pour gagner ou vivre pleinement, vous aurez besoin de cette énergie spéciale, de cette chimie, de cette synergie qui solidifie le tout.

Il n'y a qu'un ingrédient vital. Vous pouvez le changer de nom et l'appeler énergie, vibration universelle, surnaturel, haute fréquence, passion… Il est branché directement sur le cœur et on l'appelle L'AMOUR.

J'espère que ce livre vous aidera à vous souvenir des nombreuses histoires de votre vie qui vous ont aidé à grandir. J'espère que vous apprendrez à vous connaître un peu plus. J'espère que vous ressentirez de la gratitude. J'espère que cela vous aidera à vous connecter davantage avec vous-même et avec les autres. Comme moi, j'espère que vous saurez voir l'énergie, la force vitale qui aide tout un chacun à être soi-même.

ET VOUS?

Quelle est votre histoire? Quel souvenir voulez-vous qu'on retienne de vous? Qu'est-ce qui a motivé ce choix? Quelle est votre devise? Quelles ont été vos émissions de télévision préférées en grandissant? Trouvez-vous des liens entre les spectacles que vous avez aimés, votre génération et votre essence? De quoi avez-vous besoin pour vivre de bonnes énergies? Quelles caractéristiques tous vos amis ont-ils en commun? Qu'est-ce qui influence votre bonne humeur, votre énergie? Vous rappelez-vous la dernière fois que vous avez senti l'énergie d'un égrégore?

RECETTES

L'ingrédient secret c'est toujours l'amour.

—Anonyme

BANDE SONORE

Watermelon Sugar • HARRY STYLES
Passionfruit • DRAKE
American Pie • DON MCLEAN
Ice Cream • SARAH MCLACHLAN
Coconut • HARRY NILSSON
That's Amore • DEAN MARTIN
Sugar • MAROON 5
Banana Pancakes • JACK JOHNSON
Vegetables • THE BEACH BOYS
C is for Cookie • COOKIE MONSTER
Gravy • DEE DEE SHARP
Salade de fruits • BOURVIL
Strawberry Fields Forever • THE BEATLES
Eat it • WEIRD AL YANKOVIC
Sugar Sugar • THE ARCHIES
Dessert • DAWIN
I Can't Help Myself • FOUR TOPS
Les fraises et les framboises • LA FAMILLE SOUCY
Le pouding à l'Arsenic • LES COLOCS
La cuisinière • LA BOTTINE SOURIANTE

Ce livre ne serait pas complet si je ne vous offrais pas un avant-goût de mon enfance. Certaines de ces recettes seront familières à mes concitoyens québécois, car je suis sûre qu'elles ont également fait partie de leur éducation. La bonne bouffe est ce qui nous rassemble et crée les meilleurs souvenirs. Je vous invite à créer vos propres bons souvenirs en découvrant les goûts et les odeurs de mon enfance. Bon appétit!

BOUCHÉES À LA GUIMAUVE

Voici le dessert que papa préparait pour nous attirer à la maison.

Préparation: 30 minutes

Temps de cuisson: 30 minutes

Ingrédients pour la croûte:

- 1/3 tasse de beurre à la température de la pièce
- 1 tasse de cassonade
- 1 oeuf
- 1 cuillère à thé d'essence de vanille
- 3/4 tasse de farine tout usage
- 1 cuillère à thé de poudre à pâte
- 1/4 cuillère à thé de sel
- 1/2 tasse de noix de Grenoble hachées
- 2 tasses de guimauves nature miniatures

Ingrédients pour le glaçage fondant:

- 1/2 tasse de beurre
- 1 tasse de cassonade tassée légèrement
- 1/4 de tasse de lait et 1/4 de tasse de sucre à glacer tamisé

Préparation pour la croûte:

- Préchauffer le four à 350°F. Graisser un moule en pyrex carré de 8 pouces.
- Mélanger au batteur électrique le beurre et la cassonade 3 minutes. Ajouter l'œuf et l'essence de vanille. Battre encore 2 minutes.
- À l'aide d'une spatule de caoutchouc, incorporer la farine, la poudre à pâte, le sel et les noix de Grenoble.
- Verser le mélange dans le moule graissé. Égaliser la surface.
- Cuire au four environ 25 minutes. Retirer du four et déposer les guimauves miniatures sur la croûte chaude. Remettre au four environ 2 minutes. Sortir du four et réserver le temps de préparer le glaçage.

Préparation pour le glaçage fondant:

- Dans une petite casserole, faire fondre le beurre à feu moyen. Ajouter la cassonade et amener à ébullition en brassant constamment. Une fois l'ébullition atteinte, laissez mijoter doucement 2 minutes tout en brassant.
- Retirer du feu et ajouter le lait. Remettre sur le feu et ramener à ébullition. Retirer du feu et laisser tiédir 10 minutes. Ajouter le sucre à glacer et bien mélanger à la cuillère de bois. Étendre sur les guimauves et bien étaler.
- Laisser reposer 1 heure à la température de la pièce, couper.

Attention: pour les dents sucrées seulement!

SOUPE AUX LÉGUMES (VIDE-FRIGO)

Cette recette évitait bien du gaspillage.

Ingrédients:

- huile végétale, pour la cuisson
- 1 oignon jaune, finement haché
- persil frais
- sel (Herbamare) et poivre, au goût
- 4 gousses d'ail, finement hachées
- 2 cuillères à café d'épices de votre choix (curcuma, cardamome, cumin, etc.)
- 8 tasses de légumes de votre choix, tranchés ou coupés en quartiers (carotte, pomme de terre, céleri, courge, tomate en dés, chou, etc.)
- 8 tasses de bouillon de poulet
- herbes fraîches de votre choix, pour servir

Préparation:

- Dans une casserole, chauffer l'huile végétale et cuire l'oignon pendant 8 minutes.
- Ajouter l'ail et les épices et cuire pendant 2 minutes de plus.
- Ajouter les légumes au bouillon. Laisser mijoter pendant 20 minutes ou jusqu'à ce que les légumes soient cuits. Ajuster l'assaisonnement si nécessaire et servir garni d'herbes fraîches.

POUDING CHÔMEUR

La gâterie que me faisait ma gardienne.

Une légende affirme que pendant la Grande Dépression, la femme de Camillien Houde, maire de Montréal, aurait imaginé cette gâterie afin de permettre aux femmes d'ouvriers de réconforter avec une bonne dose de cassonade leurs maris touchés par les mises à pied d'où son nom « pouding chômeur ».

Ingrédients:

- 1 1/2 tasse de farine tout usage
- 1 cuillère à café de levure chimique
- 1 œuf
- 1 tasse de sucre blanc
- 1/4 tasse de margarine
- 1 tasse de lait
- 2 tasses d'eau
- 2 tasses de cassonade
- 1/4 tasse de margarine
- 1/4 cuillère à café d'extrait de vanille

Préparation:

- Préchauffer le four à 325°F. Graisser un plat de cuisson de 9 x 13 pouces.
- Tamiser la farine et la levure chimique ensemble dans un petit bol. Battre l'œuf, le sucre et 1/4 tasse de margarine ensemble dans un grand bol. Ajouter le mélange de farine alternativement avec le lait au mélange d'œufs, en remuant juste pour combiner. Verser la pâte dans le plat.
- Porter l'eau à ébullition dans une casserole; remuer la cassonade, 1/4 tasse de margarine et l'extrait de vanille dans l'eau, et revenir à ébullition pendant 2 minutes. Verser la sauce sur la pâte.
- Cuire au four, environ 45 minutes.

SAUCE BÉCHAMEL

Maman utilisait cette recette comme base. Ensuite, elle y ajoutait brocoli, chou fleur, poulet et fromage ou des crevettes ou tout ce qui lui passait par la tête!

4 portions

Ingrédients:

- 4 cuillères à soupe de beurre
- 2 tasses de lait
- 4 cuillères à soupe de farine nature et tout usage
- sel et poivre

Préparation:

- Hacher le beurre en cubes, de la taille des dés.
- Verser le lait dans une casserole à fond épais et ajouter le beurre et la farine.
- Placer la casserole à feu moyen et remuer constamment avec un fouet.
- Au fur et à mesure que le lait devient chaud, le beurre commence à fondre et absorbe la farine.
- Continuer à remuer jusqu'à ce que le mélange commence à épaissir, utiliser une petite cuillère en bois pour remuer la sauce, en vous assurant d'atteindre les bords mêmes de la casserole.
- Réduire la chaleur au réglage le plus bas et laisser la sauce mijoter doucement pendant 5 minutes, en remuant de temps en temps.
- Retirer la casserole du feu et vérifier l'assaisonnement.
- Déguster avec des pâtes, du poulet ou du brocoli.

CRETONS

Excellent sur un pain frais un samedi d'hiver frisquet.

12 portions

Ingrédients:

- 1 livre de porc haché
- 1 tasse de lait
- 1 oignon haché
- ail haché
- sel et poivre, au goût
- 1 pincée de clous de girofle broyé
- 1 pincée de piment fort
- 1/4 tasse de chapelure

Préparation:

- Placer le porc haché, le lait, l'oignon et l'ail dans une grande casserole. Assaisonner avec du sel, du poivre, des clous de girofle et du piment.
- Cuire à feu moyen pendant environ 1 heure, puis mélanger avec la chapelure.
- Cuire pendant 10 minutes de plus. Ajuster les assaisonnements au goût. Transférer dans un petit récipient et garder au frigo.
- Servir sur du pain grillé avec de la moutarde à l'oignon sucrée. Parfait avec des œufs le matin.

PAIN DORÉ

Pour 4 personnes

J'aime beaucoup faire mon pain doré avec un pain fesses (un genre de pain d'autrefois) et dans le temps de Noël, avec un panettone à l'écorce d'orange.

Ingrédients:

- 1 cuillère à café de cannelle moulue
- 1/4 cuillère à café de noix de muscade moulue
- 2 cuillères à soupe de sucre
- 4 cuillères à soupe de beurre
- 4 œufs
- 1/4 tasse de lait
- 1/2 cuillère à café d'extrait de vanille
- 8 tranches de pain fesses, panettone à l'écorce d'orange ou un simple pain blanc
- 1/2 tasse de sirop d'érable, réchauffé

Préparation:

- Dans un petit bol, mélanger la cannelle, la noix de muscade et le sucre, et mettre de côté brièvement.
- Dans une poêle de 10 ou 12 pouces, faire fondre le beurre à feu moyen. Fouetter ensemble le mélange de cannelle, les œufs, le lait et la vanille, et verser dans un récipient peu profond tel qu'une assiette à tarte.
- Tremper le pain dans le mélange d'œufs. Cuire les tranches jusqu'à ce qu'elles soient dorées des deux côtés. Servir avec du sirop et des baies chaudes.

VINAIGRETTE QUÉBÉCOISE

La recette de ma mère, actualisée avec du sirop d'érable par ma sœur Josée!

Ingrédients:

- 2 cuillères à soupe de vinaigre balsamique
- 2 cuillères à thé de moutarde Dijon
- 4 à 6 cuillères à soupe d'huile d'olive
- 3 cuillères à soupe de sirop d'érable (ou au goût)
- sel de légumes et poivre

Préparation:

- Mélanger le tout.
- Cette vinaigrette peut être préparée à l'avance et conservée au frigo pendant une semaine.

TAGLIATELLE À LA CRÈME DE CHAMPIGNONS ET D'ESCARGOTS

Une autre recette que ma mère faisait lors des occasions spéciales.

4 portions

Ingrédients:

- 2 tasses de champignons sauvages séchés, bien rincés et trempés dans l'eau tiède pendant 30 minutes
- 1 petite échalote hachée
- 1 gousse d'ail hachée
- 2 cuillères à soupe de beurre
- 1 tasse de crème à cuisson
- 1 tasse de pois en conserve congelés ou en conserve égouttés
- 1 boîte d'escargots égouttés
- 1 cuillère à café d'estragon séché
- sel et poivre au goût
- 1 cuillère à soupe de persil frais haché
- assez de tagliatelles cuites pour 4 portions

Préparation:

- Égoutter les champignons et hacher grossièrement.
- Dans une casserole, chauffer 1 cuillère à soupe de beurre et faire sauter l'ail et l'échalote jusqu'à ce qu'ils soient parfumés.
- Ajouter de la crème, les champignons et les pois (si en conserve, ajouter à la fin seulement).
- Laisser mijoter pendant plusieurs minutes jusqu'à ce que le mélange commence à épaissir.
- Incorporer l'estragon, le persil et les escargots égouttés.
- Ajouter la cuillère à soupe restante de beurre tout en remuant pour chauffer.
- Servir sur les pâtes.

ROAST BEEF

4 portions

Ingrédients:

- 1 rôti de bœuf de 2 livres
- 1 tasse de moutarde de Dijon
- 2 gousses d'ail
- 2 cuillères à café d'huile d'olive
- 1 brin de thym frais ou 1/4 cuillère à café de thym séché
- Sel et poivre noir fraîchement moulu

Préparation:

- Préchauffer le four à 450°F.
- Couvrir le bœuf avec de la moutarde.
- Éplucher les gousses d'ail, couper en deux dans le sens de la longueur et hacher.
- Insérer la pointe d'un couteau tranchant dans le rôti, retirer et incorporer les morceaux d'ail. Répéter tout autour du rôti jusqu'à ce que l'ail soit épuisé.
- Étaler la moitié de l'huile d'olive sur le fond et les côtés de la poêle, l'autre moitié autour de la viande. Saupoudrer de feuilles de thym.
- Placer le bœuf dans la poêle, mettre au four à 425°F et faire cuire pendant 25 à 35 minutes. Laisser reposer quelques minutes après avoir retiré du four.

PURÉE DE POMMES DE TERRE CLASSIQUE

Trois fois par an, je fais la purée de maman pour les occasions très spéciales.

Ingrédients:

- 1 cuillère à café de poudre d'ail
- 4 livres de pommes de terre
- 1/4 cuillère à café de poivre noir
- 1 1/2 cuillère à café de sel
- 6 cuillères à soupe de beurre salé
- 1 1/2 tasse de lait entier chaud
- 1 oignon blanc haché
- 1 cuillère à café d'ail
- Une touche de crème (facultatif)

Préparation:

- Chauffer les pommes de terre, puis les piler. Ajouter le lait, le beurre, l'ail, le sel et l'oignon. Mélanger. Ajouter une touche de crème si nécessaire.

Remerciements

Il y a tout un monde entre avoir l'idée d'un livre et tenir le livre dans vos mains. Je n'aurais pas pu le faire seule. Il faut un village. Je tiens à remercier toutes ces personnes incroyables qui m'ont soutenue. Certains font partie de ma famille, d'autres sont de bons amis et d'autres sont de précieux collaborateurs. Merci à tous ceux qui ont cru en moi et m'ont aidée à faire de ce livre une réalité. Tantôt par des mots d'encouragement, tantôt « en poussant » avec moi, tantôt en croisant simplement mon chemin.

Martin, Charles, Carole, Josée, Alexa, Lynn Thériault, Annick Laplante, Mélanie, Catherine Bridgman, Zackary, Caro, Marc-Henri, Hans, Yolande Guy, Huguette Guy, Sylvie L'Archevêque, Alexis, Adrienne, Marisa Bove, Erik, Dahna W., Anne-Marie Salloum, Bob, Eliane, Nathalie Pelletier, Nathalie Colpron, PK, Stéphanie Bock, Marie-Jo, Cath, Soph, Paul, Nick, Patrick Godin, Isabelle Molleur, Maggie A., Sophie P., Steven Vandal, Liane Bertrand, Laila S., Marc, Sylvie, Hadrien, Florence, Manon Thériault, Laur, Laurie Loo, Lyda Mclallen, Paul Neuviale, Marie Dufour et Roxane Tremblay.

Et bien sûr, j'aimerais remercier ma mère et mon père. Sans leur présence aimante, vous n'auriez jamais lu *Mon égrégore*!

À PROPOS DE L'AUTEURE

Elizabeth Péladeau est coach en relations publiques et auteure. Depuis qu'elle est petite fille, Elizabeth a toujours été inspirée par les histoires des gens. Cela l'a menée à une carrière accomplie dans les communications dans laquelle elle utilise son talent pour capturer l'essence de ses clients et les faire briller. Pendant la pandémie, elle a commencé à regarder le *puzzle* de sa propre histoire de vie afin d'inspirer ceux qui l'entourent. L'image qui a émergé est capturée dans ce livre. Elizabeth vit à Montréal avec son mari et son fils.

lizlionzest

Lightning Source UK Ltd.
Milton Keynes UK
UKHW022042180322
400304UK00003B/223